AIが教える使い方

```
<!-- Generator: Adobe Illustrator 24.1.3, SVG Export Plug-In -->
<svg version="1.1" xmlns="http://www.w3.org/2000/svg"
xmlns:xlink="http://www.w3.org/1999/xlink" x="0px" y="0px" width="368.5px"
    height="532.91px" viewBox="0 0 368.5 532.91"
style="overflow:visible;enable-background:new 0 0 368.5 532.91;"
    xml:space="preserve">
<style type="text/css">
    .st0{fill:no
</style>
<defs>
</defs>
<rect class="st0" width="368.5" height="532.91"/>
</svg>
```

Chat
GPT
の　衝　撃

矢内東紀 YAUCHI HARUKI

実業之日本社

はじめに

とにかく早くその中に飛び込まなければいけない。

これは産業革命に並ぶ技術革新の到達点であり、まさに破壊的なイノベーションである。

私は当時経営していたクイズバーの経営から身を引き、新たにAI、ChatGPTに関連する会社を2社起ち上げた。

きっかけとなったのは、まさにそのクイズバーだった。

端的にいえば、クイズの制作はもうChatGPTに任せられると思えたことが大きい。

それまでもクイズ作りの作業をAIで試してみたことはあったが、間違った問題を作ってしまうなど、その精度は実際の仕事で生かせるレベルではなかった。

それがGPT-3.5になって劇的に改善され、GPT-4で「クイズ作りはAIでOK」という確信に変わった。

簡単にいうと、私が経営していたクイズバーの場合、1問100円で人間が作っていたクイズ作りが、ChatGPTなら1問10円で済んでしまうといったことが起きた。

これと同じ話があらゆるところで起こることは間違いなく、いわゆるまとめライター的な仕事はChatGPTで十分であろうし、中レベルくらいのエンジニアの仕事もなくなることは想像に難くない。

この手の話はずいぶん前から「AIに奪われる仕事」とか「10年後になくなる仕事」といったテーマで散々語られてきたが、今回のGPT-3.5、そしてGPT-4の登場によって、より現実的なテーマとして目の前に現れた。

　私は、これらの劇的な変化が現在どのように起こっているのか、またそれをどう乗りこなしていけばよいかをお伝えしたいと思い本書を執筆した（なお、本書の大半の部分をGPT-4を使って書いた）。

AIの奴隷になるか、AIを奴隷にするか

　さて、この事実を目の前にしてあなたはどう考えるだろうか。

「自分の仕事はAIに奪われるから、置き換えられない技術を習得しよう」
「人間にしかできない仕事をしよう」

　多くの人がこう考えるかもしれない。
　しかしもっとシンプルに、

「今の仕事にAIをどう使おうか」

　と考えてみてはどうだろうか。

　語弊を恐れずにいえば、**この考え方一つで「AIの奴隷になるか、AIを奴隷にするか」くらいの大きな違いが出てくる**と私は思う。
　例えば、少し前から某ファミリーレストランでは配膳をロボットがしているが、以前はこれは人間の仕事だった。
　このレストランにおいて配膳業務における人間の仕事は、配膳ロボットのメンテナンスをすることに置き換わっていると言っていい。
　あなたがこのロボットを目の前にしたときに、

「これは私の仕事がなくなってしまうかもしれない。より工夫を凝らして私にしかできない配膳を追求しよう」

と考えるのか、

「よし、猫型ロボットを取り入れたほうが作業効率がいいから取り入れよう」

と考えるのか。

言うまでもなく、これからは後者の判断ができるかどうかが非常に重要になってくる。

私はChatGPT関連の会社を急いで創業し、本書を出版するくらいなので、周囲のChatGPT未経験者にもその凄さや使い方を布教してきているが、最初の反応で圧倒的に多いのは「絶句」である。

例えば「第2章　ChatGPTのできること」の「企画書作成」の部分でも例に出しているが、とあるテレビ局のディレクターにChatGPTを紹介したときの彼の最初の反応は「え、私の仕事なんだったの？　もうこれでいいじゃん」だった。

これまではAIに奪われる仕事といえば肉体労働のような仕事のイメージが強かったわけだが、彼のような企画を考えるといったいわゆるクリエイティブ職、つまり頭脳労働や知識労働、さらには管理職というホワイトカラーと呼ばれる役職に就いている人たちほど、その脅威を感じているのだ。

また、しばらくは人間の感性を凌駕できないだろうと思われていた芸術の領域にもその影響は出てくると予想される。

ある知り合いのジャズピアニストは「これからは本物の芸術作品は残るけど、大半の商業音楽はAIに取って代わられる」と言っていた。

本物の仕事、本物の芸術しか残らない時代が来たのである。

これらの例を出すまでもなく、人間の仕事が機械に取って代わられるということはこれまでにも起こってきたし、話題にもなってきた。

しかし、今回のChatGPTの登場は、これまで「人間の仕事」だと考えられてきた領域にまでその影響が及ぶという点が衝撃的で、それが本書のタイトルにもつながっている。

それは「書くだけ・喋るだけ」という誰にでもできる自然言語でほとんどの作業が済んでしまうことが大きく、これはまさに日本人が夢にまで見た、現実のドラえもんの誕生である。

アイデアさえあれば誰にでもドラえもんを使って稼いだり、問題を解決したりするチャンスがあるのだ。

1日8時間、週40時間働く必要はあるか

イギリスの経済学者ジョン・メイナード・ケインズが1930年に「2030年に人間の労働時間は週15時間になる」と予言したという有名な話がある。

私の周囲には「これからは1割の人だけが働いて、残りの9割は社会保障で暮らす」と言う人までいる（私はとてもそこまでになるとは思わないが）。

これはカール・マルクスの議論だが、経営者や資本は、労働者（人間か機械かは問わないが）を最大限働かせるようにできている。「働かないとならないんだ」とか「もっと頑張って働こう」とかいった価値観は、自己増殖する目的を持つ資本の側で作られるのだ。

資本主義はそういう理屈の上に成り立っている仕組みだが、それ

に乗るかどうかは労働者側の自由である。

　しかし、自由と言われても、私たちの価値観は自分たちが思っているよりも深く、私たちの内面に埋め込まれてしまっている。

　例えば日本の大企業であれば「週40時間働きましょう」といった価値観が根強いだろう。
　1日8時間働いて、仕事が終わらなければ残業し、基本的に休みは土日の2日間、権利として有給があり、会社にそれを申請して休みを取る。
　そういった価値観への抵抗勢力として労働組合などがあるわけだが、その影響力は弱く、この先も社会を変える可能性は低い。
　どうしても資本主義の下では資本の力が強く、それは選挙にしてもカネをたくさん持っているほうが勝つわけで、政治によって現実が大きく変わることはことはない、と考えるのが普通だ。

　「金でどうにでもなる選挙なんてやっても意味がない」といい、考えで、毛沢東をはじめとした代表的な左翼の指導者は選挙をやらなかった。
　これはボリシェヴィキやソビエトの理論だが、一党独裁を正当化する考えでもある。
　近年では、中国の若者の間で「寝そべり主義者宣言」という「金や名誉のために一生懸命働くなんてうんざりだ、寝てのんびり暮らそう」という思想が生まれてきていたりもする。

　そういう様々な議論が社会の中にはあるわけだが、読者の皆様には今一度、「週40時間、1日8時間働く必要が本当にあるか？」と考えてみてほしいのだ。

　繰り返しになるが、本来これは自由である。

　働いてもいいし働かなくてもいい。

「やめた」と言って寝そべっていても、生活保護はあるし、本来はなんでもありなのだ。

新しく生まれた時間をどう使うか

　寝そべるとか全く働かないのは極端な例だとしても、ChatGPTという技術の登場によって、例えばこれまで2時間かかっていた作業が1分で済むようになった場合、残りの1時間59分をどう使うのかは、個人の選択に委ねられている。

　当然、資本の側はこの時間を使って「もっとやれ」と要求してくるだろう。

　しかしここで「これまでと同じ作業で同じ給料をもらえるからそれでいい」と思えば、残りの1時間59分はサボタージュできるし、「独立して120倍やればもっと稼げる」と考えるのであればそうしたっていい。

　理屈ではそういうことになる。

　まずは資本によって操作された洗脳をどうやって解き、その上で何を自分が選択していくのか。

　新しいAI時代の波をどのように乗りこなして自分の人生をドライブしていくべきなのか。

　本書を元にChatGPTを使いこなし、資本の言説から解き放たれる人間が一人でも多ければ、これほどうれしいことはない。

第1章 ChatGPTの衝撃

第2章 ChatGPTのできること
【基本・ビジネス編】

第3章　ChatGPTのできること
【専門・日常・遊び編】

第4章　ChatGPTをさらに 使いこなす方法

第5章 ChatGPTの技術的な背景と未来

まえがき

　本書「ChatGPTの衝撃　AIが教えるAIの使い方」 では、ChatGPTという人工知能（AI）を用いた自然言語処理モデルの世界へと皆さんをご案内します。私たちの日常生活やビジネスの場で、AI技術がどのように革新をもたらしているのか、そしてその具体的な活用方法を、わかりやすく解説していきます。

　近年、AI技術は急速な進化を遂げており、その中でも特に注目されているのが、自然言語処理技術です。この技術は、人間が普段使っている言語をコンピュータに理解させ、さまざまな形で活用できるようにするものです。ChatGPTは、この自然言語処理技術の中でも最先端のモデルであり、その可能性は無限大です。

　本書では、まずChatGPTの基本的な概念や仕組みについて説明します。その後、具体的な使い方や活用例を紹介し、どのような場面でChatGPTを活用できるのかを詳しく解説していきます。また、AI技術を効果的に活用するための注意点やリスクについても触れます。

　この本を読むことで、皆さんはAI技術がもたらすさまざまな利点を理解し、自分たちの日常生活や仕事にどのように取り入れることができるのかを具体的にイメージできることでしょう。

　ただし、AI技術は日々進化しており、本書で紹介する内容も将来的には時代遅れになることもあります。そのため、本書で得た知識を活かしつつ、最新の技術動向や情報にも目を向け、柔軟に対応

できるように心がけてください。

　最後に、本書はあくまで入門書としての位置付けですので、ChatGPTやAI技術についてより深く学びたい場合は、専門書や研究論文、オンラインコースなどを活用してください。それでも、本書が皆さんのAI技術への第一歩となり、新たな可能性を広げる手助けとなることを心から願っています。

　本書を通じて皆さんがAI技術との距離を縮め、ChatGPTをはじめとするAIツールの活用を通じて、効率的でクリエイティブな仕事や学習ができるようになることを期待しています。AI技術は、人間の潜在能力を引き出し、新たな発想や発見につながる可能性を秘めています。

　しかし、AI技術を活用する際には、倫理やプライバシーにも注意を払う必要があります。本書では、そのような懸念事項や注意点にも触れていますので、AI技術を安全かつ適切に活用するための指針として参考にしてください。

　本書を手に取ってくださった皆様に、ChatGPTやAI技術の魅力を存分に感じていただき、これらの技術をご自身の生活や仕事に活かせるよう願っています。どうぞ、本書が皆様のAI技術に対する理解と興味を深める一助となりますように。

【本書をご利用いただくにあたっての注意事項】

●本書の内容は、2023年4月現在の情報を元に構成しています。記載した各種サービスやソフトウェアの機能などは日々更新されているため、最新の情報には十分に注意して使用してください。

●本書発行後にChatGPTや関連するソフトウェアやサービスの仕様が変更された場合、著者や出版社はその内容についての質問にはお答えしかねますので、あらかじめご了承ください。

●本書記載の活用法に基づく直接的・間接的損害について、著者及び弊社では一切の責任を負わないものとします。あらかじめご了承ください。

●ChatGPTやその他のAI技術の活用について、学校や会社など所属するコミュニティごとに利用の可否や活用範囲に関する取り決めが存在する場合があります。また、一部の組織では現在対応を検討中であり、規制が変更される可能性があります。本書の内容を利用する際は、所属するコミュニティの規定に従って適切に活用してください。万が一、所属するコミュニティの規定に抵触する恐れがある場合は、事前に確認し、適切な範囲での利用に留めていただくようお願いいたします。

●本書の大半はChatGPTの最新モデルであるGPT-4を使って執筆しましたが、GPT-4が書いた箇所と著者が書いた箇所の区別は明確にはしておりません。ただし、人間の補足が必要な部分については「コメント」という形ではっきり区別するようにしました。

第1章
ChatGPTの衝撃

What is ChatGPT ?

Hi
I'm ChatGPT

ChatGPTは、米国・サンフランシスコに本社を構え、人工知能（AI）の開発を行っているOpenAI（創立者にはイーロン・マスクやサム・アルトマンといった著名なテクノロジー分野のリーダーが名を連ねている）が開発した会話型のアプリケーションに特化して設計されたAIモデルです。このモデルは、自然言語処理の進化により、人間と同じような自然な会話を実現することが可能となりました。

　従来の検索エンジンとは異なり、ChatGPTは質問に対してより適切で豊かな回答を提供できます。また、文章の生成、要約、翻訳など、幅広い言語タスクを処理でき、ユーザーは自然な言葉で質問や指示を入力するだけで、高品質な応答や生成物を得ることができます。その結果、人間の専門家と同等、あるいはそれ以上の知識や洞察力を持つAIとして、さまざまな分野で活躍しています。

　本章では、ChatGPTがどのようにして学習し、どのようにして知識を獲得するのか、その背後にある技術やアルゴリズムについても解説します。また、ChatGPTの圧倒的な性能がいかにして実現されているのか、そしてこの技術がもたらす可能性についても説明します。

　ChatGPTは、企業や個人が効率的に情報を取得・生成する手段として利用されており、その活用範囲は日々拡大しています。その一方で、モデルの限界や倫理的な懸念も存在し、適切な利用と改善が求められています。

ChatGPTの目的と利用シーン

　ChatGPTを利用する主な目的は、人間と自然な言葉でコミュニケーションを行い、さまざまなタスクを効率的に処理することです。このAI技術は、多くの利用シーンで活用されており、以下にその一部を示します。

Q&A対応

　ユーザーが質問を投げかけると、関連する情報を提供することができます。これにより、カスタマーサポートやFAQ（よくある質問）の作成を助けることができます。

資料作成支援

　レポートやプレゼンテーションなどの資料作成を効率的に行うために、関連情報の提供や文章の生成をサポートします。

自動翻訳

　言語間の翻訳を行うことができ、異なる言語を話す人々のコミュニケーションを助けます。

要約作成

　長い文章や文書を短くまとめることができ、読者が短時間で要点を把握するのに役立ちます。

コンテンツ生成

　ブログ記事やSNS投稿などのコンテンツを作成する際に、アイデアの提案や文章の生成を支援します。

コード補助

　プログラミングにおいて、コードの例や解決策の提案を行い、開発者の作業を助けます。

クリエイティブ作品の生成

　詩や物語などのクリエイティブな作品を生成し、アーティストや作家のインスピレーションを刺激します。

チュータリングと学習支援

　学習者に対して教材の説明や問題解決の支援を行い、個々の学習ニーズに対応します。

ゲーム内AI

　ゲーム内でのキャラクターの振る舞いや対話を制御し、リアリスティックなゲーム体験を提供します。

ビジネス戦略や意思決定の支援

　データ分析や市場調査をもとに、戦略立案や意思決定に関するアドバイスを提供します。

　これらの利用シーンは、**ChatGPTがさまざまな業界や個人のニーズに応じて柔軟に対応できる**ことを示しています。しかし、ChatGPTはデータセキュリティやプライバシー保護、そして倫理的な懸念を十分に考慮して利用する必要があります。

　例えば、偏見や不正確な情報を拡散しないように注意が必要です。また、モデルによって生成されるコンテンツに対する著作権や

プライバシーの問題にも配慮することが重要になってきます。

　ChatGPTの性能向上や限界の克服、そしてより適切な利用方法を追求することで、人間とAIが協力してさまざまなタスクを効率的に遂行し、生産性やクリエイティビティを高めることが期待されます。今後の技術開発や社会的な進化により、ChatGPTの活用シーンはさらに拡大し、より多くの分野でその価値を発揮していくでしょう。

　ChatGPTを使ってできるさまざまなことについては、第2章と第3章で詳しく見ていきます。

ChatGPTの概念

ChatGPTは、人工知能（AI）技術を用いた自然言語処理（NLP）モデルで、OpenAIが開発したGPTアーキテクチャをベースとしています。GPTは「Generative Pre-trained Transformer」の略で、**大量のテキストデータから学習し、自然な言語でのコミュニケーションや文章生成を行うことができます。**

ChatGPTは、人間のような自然な対話を実現するために設計されており、質疑応答や指示に従ったテキスト生成など、多様な言語タスクを効率的に処理することができます。これにより、ユーザーは情報の取得や作業の効率化に役立てることが可能になります。

概念としてのChatGPTは、AIと人間が効果的にコミュニケーションし、共同作業を行うための基盤を提供することを目指しています。そのため、自然言語処理技術を活用して、幅広い分野やタスクに対応する柔軟性と高い性能を持つモデルとして定義されます。

GPTモデルの数字の意味

また、GPTモデルの数字（例：GPT-3、GPT-4など）は、そのモデルがどの世代に属するかを示しています。**数字が大きくなるほど、モデルはより新しい世代に属し、一般的には性能が向上していることを意味します。**

例えば、GPT-3は、Generative Pre-trained Transformerの第3世代モデルであり、GPT-4は、その次の第4世代モデルです。新し

い世代のモデルは、通常、前世代と比較してより大規模なデータセットで学習され、より複雑なアーキテクチャを持っています。これにより、新しい世代のモデルは、自然言語処理タスクにおいて、より高い性能や生成能力を発揮することが期待されます。

　簡単に言うと、**GPT-4はGPT-3.5よりも学習能力が向上し、文脈理解力が強化され、パフォーマンスが最適化されたAIモデルです。**これにより、より自然でスムーズな会話が可能になり、多様なタスクを効率的にこなすことができます。ただし、モデルが大きくなるほど、計算リソースやメモリの要求量も増えるため、その運用には注意が必要です。

自然言語処理（NLP）技術の進化

　自然言語処理（NLP）技術は、コンピュータが人間の言語を理解し、生成する能力を持つための分野であり、過去数十年間で大きな進歩が見られます。以下に、自然言語処理技術の進化の概要を示します。

ルールベースのシステム

　最初のNLPシステムは、専門家が手動で作成した文法規則や辞書を使用していました。これらのシステムは、限定的なタスクには機能しましたが、言語の多様性や曖昧さに対処する能力に欠けていました。

統計的NLP

　1990年代から2000年代初頭にかけて、統計的手法がNLPに導入されました。これにより、大量のテキストデータから言語のパターンを自動的に学習することが可能となり、性能の向上が見られました。しかし、これらのモデルは、文脈の理解や長い文章の生成に課題が残っていました。

深層学習とNLP

　2010年代に入ると、深層学習技術がNLPに革命をもたらしました。大量のデータを用いてコンピュータが自動的に言語の特徴や構造を学習することが可能になったのです。

　これは、ニューラルネットワークという人間の脳の構造を模倣したアルゴリズムにより実現されています。深層学習モデルは、従来の方法に比べてはるかに高い性能を達成し、機械翻訳や感情分析な

どの精度を向上させるなど、NLPタスクの幅広い分野で成功を収めています。

トランスフォーマーアーキテクチャ

2017年に、Googleの研究者などが提案したトランスフォーマーアーキテクチャは、自己注意機構（Self-Attention）を用いて、並列計算を効果的に行うことができるようになりました。これにより、さらに大規模なモデルの学習が可能となり、NLP技術の性能が大幅に向上しました。

GPTとBERT

ＯｐｅｎＡＩが開発したＧＰＴと、Ｇｏｏｇｌｅが開発したＢＥＲＴ（Bidirectional Encoder Representations from Transformers）は、トランスフォーマーアーキテクチャをベースにしたモデルであり、事前学習（Pre-training）と微調整（Fine-tuning）のアプローチを用いることで、多様なNLPタスクにおいて高い性能を達成しました。

技術の向上と不安材料

現在のNLP技術は、GPT-4やChatGPTのような大規模で高性能なモデルが登場し、自然言語生成や質疑応答、機械翻訳、要約など、多様なタスクに対応できるようになっています。これらのモデルは、大量のテキストデータを学習し、文脈を理解する能力や柔軟性が向上しています。

しかし、NLP技術の進化にはまだ課題が残されています。例えば、**モデルが生成する情報の正確性や倫理的な問題、データの偏りによるバイアス、また計算負荷やエネルギー消費などの問題**が挙げられ

ます。これらの課題に取り組むことで、今後のNLP技術はさらに進化し、より効果的で倫理的なAIアプリケーションの開発が期待されます。

　また、多言語対応や低リソース言語への適用、強化学習を組み合わせたインタラクティブな学習や、共同作業を行うAIエージェントの開発など、新しい技術やアプローチが研究されています。これらの進化が実現すれば、NLP技術はさらに幅広い分野で活用され、人間との協働を促進することができるでしょう。

ChatGPTが苦手なことと 使用上の注意

　ChatGPTにはできることだけでなく、苦手なことやできないこともあります。以下に、その具体的な例を5つ挙げます。

リアルタイム情報の提供

　ChatGPTの情報は2021年9月までのものであり、それ以降やリアルタイムの情報を提供することができません。例えば、現在の天気や株価、最新のニュースなどを提供することはできません。

複雑な論理的推論

　ChatGPTは一般的な質問に対しては適切な回答ができますが、複雑な論理的推論や専門的な知識が必要な問題に対しては、十分な回答ができないことがあります。

個人情報の取り扱い

　ChatGPTは、個人情報や機密情報を取り扱うことができません。これは、ユーザーのプライバシーやデータセキュリティを守るための措置です。

言語の理解の限界

　ChatGPTは高度な自然言語処理能力を持っていますが、言葉のニュアンスやダブルミーニング、文脈に基づく理解には限界があります。そのため、時には誤解や不適切な回答が生じることがあります。

倫理的・法律的な問題への対応

　ChatGPTはAIであり、人間のような倫理感覚や法律的な判断力を持ち合わせていません。そのため、倫理的・法律的な問題に関する適切な回答や判断を行うことができないことがあります。

　このように、ChatGPTは多くの点で優れた性能を発揮しますが、苦手なことやできないこともあります。その限界を理解し、適切な使い方をすることが、ChatGPTを効果的に活用するための鍵となります。

使用上の注意

　上記のことから、ChatGPTを利用する際に注意すべき点として、リアルタイム情報への依存を避け、複雑な論理的推論や専門的な知識を必要とする問題には別の情報源を検討することが大切です。また、個人情報や機密情報の取り扱いには十分注意し、言葉のニュアンスや文脈に基づく理解に限界があることを念頭に置いてください。

　さらに、倫理的・法律的な問題に対する回答や判断は、人間の知識や判断力を重視し、AIの回答に過度に依存しないよう注意してください。これらの点を把握し、適切な使い方を心がけることで、ChatGPTをより効果的に活用できます。

ChatGPTのキーワード

　これから本書を読み進めていくにあたって、重要なキーワードについて改めてまとめておきます。繰り返しのものもありますが、読み進めていって迷ったらここに立ち返ってくることをおすすめします。

GPT (Generative Pre-trained Transformer)

　GPTはOpenAIが開発した、大規模な自然言語処理モデルです。ChatGPTは、GPTアーキテクチャをもとに作られており、自然言語処理タスクを効果的に実行できます。

AI (Artificial Intelligence)

　人工知能のことで、人間の知能を模倣するコンピュータシステムやソフトウェアです。機械学習、ディープラーニング、自然言語処理など、多くの技術がAIの範疇に含まれます。

NLP (Natural Language Processing)

　自然言語処理は、コンピュータが人間の言語を理解し、生成する技術のことです。文法解析、単語の意味理解、文章生成などが含まれます。

ファインチューニング (Fine-tuning)

　既存のモデルを、特定のタスクやデータセットに適応させるために再学習させるプロセスのことです。ファインチューニングにより、モデルは特定のニーズに対応するように最適化されます。

プロンプト（Prompt）

　ChatGPTに入力するテキストのことで、ユーザーからの質問や指示などです。プロンプトに基づいて、ChatGPTは適切な回答や文章を生成します。

トークン（Token）

　自然言語処理モデルで、テキストを扱うための最小単位です。トークンは、単語、句読点、スペースなど、言語の構成要素に分割されます。モデルの性能や入出力の長さは、トークン数によって制限されることがあります。

API（Application Programming Interface）

　APIは、異なるソフトウェアやアプリケーション間で情報をやり取りするための規約です。ChatGPT APIを使用することで、開発者はChatGPTを自分のアプリケーションやサービスに統合できます。

コラム：**ChatGPTのはじめ方**

　ChatGPTは、Google検索などの従来サービスとは異なり、より自然な会話形式で情報提供や質問への回答が可能なAIです。

　一方、利用にあたってはアカウントの登録が必要です。以下にその手順を紹介します。

　初めてChatGPTを利用する方への簡単な使い方は次の通りです。

①OpenAIのウェブサイト（https://www.openai.com/）にアクセスし「Try ChatGPT↗」のタブをクリック。

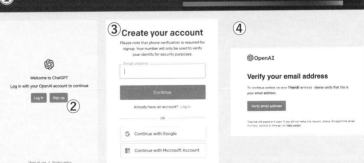

②Sign upをクリックし、③の画面からアカウントを作成します。

④登録したメールアドレスに認証メールが届きます。メールアドレス認証後に名前と生年月日、電話番号を入力すると、登録した番号に認証コードが届くので、コードを入力すれば利用が開始できます。

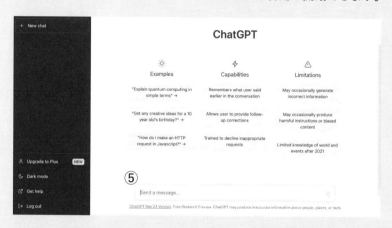

⑤ページ下部にあるテキストボックスに、質問や会話を入力し、Enterキーを押すと、ChatGPTが自動的に回答を生成します。回答は、画面上に表示されます。

　これで、簡単にChatGPTを使って質問に答えたり、テキストを生成したりすることができます。

　なお、ChatGPTの無料版では、GPT-3.5を利用して文章生成ができますが、有料版「ChatGPT Plus」(23年4月現在は月額20米ドル)では、さらに進化した「GPT-4」の先行利用が可能になります。その他、ChatGPT Plusは無料版と比較して、アクセスが集中する時間帯でも優先的に利用できたり、質問に対しての応答時間を短縮できたりします。

コラム：ChatGPTはおすすめの店を選ぶのが苦手？

　ChatGPTは、膨大なテキストデータを学習していますが、それでもすべてのことに精通しているわけではありません。また、ChatGPTは文章の意味を理解しているわけではなく、学習データからパターンを学習して回答を生成しているため、時には不正確な回答を生成することがあります。

　そもそも**ChatGPTは2021年9月までの情報をもとに学習しているため、最新情報やトレンドに関する質問にはうまく対応できません。**

　例えば、場所やジャンルを指定してお店を尋ねるような質問は、その場所やジャンルの学習量が限定的なため、うまく対応できないことが多いです。またそれだけでなく、他の専門的な知識や最新情報が必要な質問に対しても、同様の限界があることを理解しておくことが重要です。

質問例1 　池袋でおすすめの中華料理屋をランキング形式で5つ紹介してください。

1. 池袋 龍鳳（りゅうほう）
池袋駅から徒歩圏内にある老舗中華料理店です。本格的な広東料理をリーズナブルな価格で楽しめます。特に点心や飲茶が評判です。

2. 池袋 北京亭（ぺきんてい）
北京料理を中心に提供する中華料理店で、北京ダックが特に有名です。上品な味わいの料理が楽しめます。

3. 池袋 楽天楼（らくてんろう）

四川料理を楽しめる中華料理店で、辛さを調整できる様々な料理が揃っています。麻婆豆腐や担々麺が特におすすめです。

4. 池袋 福満園（ふくまんえん）

本格的な台湾料理が堪能できるお店です。小籠包や麻辣鍋など、台湾料理の代表的なメニューが揃っています。

5. 池袋 蒙古タンメン中本（もうこたんめんなかもと）

辛いラーメンが好きな人にはおすすめのお店です。激辛の蒙古タンメンが看板メニューで、辛さを選ぶことができます。

これらの情報は2021年9月までのものですので、最新の情報や営業状況は各店舗のウェブサイトや口コミサイトで確認してください。

「最新情報の取得」と「個別の事例や詳細情報」が苦手なことを証明した。1〜4の店は現時点で調べた限り、池袋には実在しなかった。1の「龍鳳」はかつて東明龍鳳という店が存在していたようだが、確認できたところではだいぶ前に「東名飯店」という名前に変わり、同店も2020年頃には閉店している模様。また2の「北京亭」もかつては同名の店舗があったが2000年半ばに閉店しているようだ。唯一、4の「福満園」は池袋の隣駅である要町に「福満苑」という人気店があるようで、そこのことだとすればまだ回答として成立しているといえる。ただし本項の趣旨はあくまでChatGPTが苦手とすることを解説するものなので、この結果から、現時点でChatGPTがおすすめのお店を探すことはできないと言って差し支えないだろう。

質問例2　2021年9月時点で営業中の、池袋駅から徒歩10分以内にあるおすすめの中華料理屋を教えてください。5人ほどの宴会を予定しており、予算は一人5000円です。

1. 池袋 龍神ラーメン（もともとは中華料理屋で、ラーメンも提供しています）
2. 池袋 北京亭
3. 池袋 煌蘭（キララン）
4. 池袋 中国家常菜 福満楼
5. 池袋 梅蘭

これらのお店は、私の知識がある範囲でおすすめの中華料理屋です。ただし、営業状況や料金、歩行距離などの詳細情報は変更されている可能性があるため、事前に確認してください。最新の情報や詳細については、口コミサイトやガイドブック、インターネット検索を利用してください。

　プロンプトを工夫してみても結果はあまり変わらなかった。そもそも「池袋」の「中華料理屋」に関する学習量が限定的なためであることが考えられる。それでももっともらしい回答をしてくるので、注意が必要だ。

第2章

ChatGPTの
できること
【基本・ビジネス編】

What is ChatGPT ?

Hi
I'm ChatGPT

第2章　ChatGPTのできること【基本・ビジネス編】では、ChatGPTがどのように役立つのか、さまざまな実用的な事例を紹介します。

　まずはじめに、ChatGPTを使いこなす上で最も重要なプロンプトについて、その概要や適切な設定方法を解説します。プロンプトがAIとのコミュニケーションの鍵であることを理解することが、効果的にChatGPTを活用するための第一歩です。

　次に、文章生成に関する事例を紹介します。メール対応やブログ作成など、日常生活や仕事での文書作成にChatGPTがどのように役立つかを具体的に解説します。これにより、読者はタイムリーで適切な文章を効率的に生成する方法を学ぶことができます。

　さらに、企画書作成の事例や会議のアジェンダ作成といったビジネスシーンでよくある作業から、ビジネス戦略の立案や意思決定の支援、課題解決の提案といったマネジメント・経営業務におけるChatGPTの活用例なども紹介します。

　この章を通じてChatGPTの多様な応用例の理解を促します。お読みいただいた方々は、ChatGPTを日常生活や仕事にすぐに取り入れることができるようになります。その結果、効率や生産性の向上が期待できるでしょう。

ChatGPTを使いこなすカギ「プロンプト」

　ChatGPTを使いこなす上で最も重要な要素の一つは、適切なプロンプトの設定です。プロンプトとは、ChatGPTに入力するテキストのことで、AIが適切な回答や情報を提供するために重要な役割を果たします。**適切なプロンプトを設定することで、望む結果を出力しやすくなります。**

　プロンプト設定の方法にはいくつかのポイントがあります。

明確で具体的な質問をする

　AIが正確な回答を生成するためには、具体的で明確な質問が求められます。質問が曖昧であるほど、AIは適切な回答が難しくなります。

質問の文脈を提供する

　ChatGPTに対する理解を深めるために、質問の背景や文脈を提供することが有益です。これにより、AIはより適切な回答を生成しやすくなります。

必要に応じて制約を設ける

　ChatGPTに特定の制約を設けることで、回答の範囲を狭め、望む結果に近づけることができます。例えば、回答を特定の文字数に制限することなどが考えられます。

反復的な質問や確認

　一度にすべての情報を得られない場合や、回答が不十分な場合には、反復的な質問や確認を行うことで、より適切な回答を引き出すことができます。

逐次的に質問をする、質問を分割する

　複雑な質問や、複数の要素を含む質問は、いくつかの単純な質問に分割することで、より明確な回答が得られることがあります。

　また、一つずつ逐次的に質問することで、それぞれの回答が前の質問の文脈に基づいて得られることを確認できます。

　これらのポイントを踏まえてプロンプトを設定することで、ChatGPTを効果的に活用し、望む結果を得ることができるでしょう。プロンプト設定のスキルを磨くことは、AIとのコミュニケーションを円滑にし、より有益な情報を得るための重要なステップです。

良い質問と悪い質問

　では、具体的にプロンプトの設定方法のポイントを満たした良い質問と悪い質問を比較したときに得られる回答の精度を見ていきましょう。

良い例のプロンプト

「スタートアップ企業が成功するためには、どのような戦略が重要か。成功のための３つのポイントと、それぞれに関連する具体的なアクションを説明してください」

◆

　スタートアップ企業の成功に関連する戦略について具体的な情報を求めていることと、成功のための3つのポイントおよびそれぞれに関連する具体的なアクションを要求することで質問が明確になっています。

　また、スタートアップ企業の成功に焦点を当てることで質問に文脈を与えています。

　ここに文字数の制約を与えたり、限定的な条件を追記したりすることで、さらに適切な回答に近づくことができるでしょう。うまく回答が得られない場合は、質問の仕方を変えながらやりとりを続けると期待の回答に近づけていくことができます。

　実際にこの質問をしてChatGPTから得られた回答が以下です。

　スタートアップ企業が成功するためには、以下の3つのポイントが重要です。

1.顧客ニーズの理解と製品・サービスの適合性
　成功のためには、ターゲット市場の顧客ニーズを深く理解し、それに適合する製品やサービスを開発することが重要です。具体的なアクションとしては、市場調査や顧客インタビューを行い、フィードバックを得ながら製品・サービスを改善し続けることです。

2.効果的なマーケティングとブランディング
　スタートアップ企業は、競合他社と差別化されたブランドイメー

ジを確立し、ターゲット顧客にリーチすることが重要です。具体的なアクションとしては、デジタルマーケティング戦略（ソーシャルメディア、コンテンツマーケティング、SEOなど）を活用し、効果的な広報活動を行うことです。

3.強固な財務管理と資金調達

　スタートアップ企業は、効率的な資源活用と資金調達が成功の鍵となります。具体的なアクションとしては、予算管理やコスト削減に注意を払いながら、適切なタイミングで資金調達（エンジェル投資家、ベンチャーキャピタル、クラウドファンディングなど）を行うことです。

　これらのポイントを押さえつつ、戦略の柔軟性を持ち、市場や状況の変化に適応できるスタートアップが成功するでしょう。

悪い例のプロンプト

「ビジネスで成功する方法教えて」

◆

　この質問は曖昧で具体性に欠け、詳細も文脈も明確ではありません。そのため、回答は一般的で広範囲な情報になり、求めている情報が得られない可能性があります。

　この質問で得られた回答が以下です。

　ビジネスで成功するためには、以下のポイントを考慮することが重要です。

目標設定と戦略立案

　明確なビジョンや目標を設定し、それに沿った戦略を立案します。成功するビジネスは、具体的な目標を持ち、達成するためのアクションプランを策定しています。

顧客ニーズの理解

　顧客のニーズを深く理解し、それに応える製品やサービスを開発することが重要です。顧客インサイトを獲得し、市場調査やフィードバックを活用して製品やサービスを改善していくことが求められます。

効果的なマーケティング

　強力なブランドイメージを構築し、ターゲット顧客にリーチすることが重要です。デジタルマーケティング、ソーシャルメディア、コンテンツマーケティング、広告などの戦略を活用して、リーチを拡大しましょう。

優秀なチームの構築

　成功するビジネスは、優秀なチームを持っています。チームメンバーの採用や育成に力を入れ、チームワークを強化し、効率的に業務を遂行できる環境を整えましょう。

財務管理

　収益性を確保し、資金繰りを適切に管理することがビジネス成功の鍵です。予算管理やコスト削減に努め、適切なタイミングで資金調達を行いましょう。

継続的な改善と革新

　市場や業界の変化に適応し、常に新しいアイデアや技術を取り入れることが重要です。競合他社や新興企業に取り残されないよう、継続的な改善と革新を目指しましょう。

◆

　良い例の質問では、明確で具体的な情報が得られ、成功のためのポイントや関連する具体的なアクションについて理解できます。一方、悪い例では、曖昧な質問により具体的な情報が得られず、ビジネス成功に関する一般的な知識しか提供されません。

さらに抑えておくべきプロンプト設定のコツ

　プロンプトの設定において、以下のポイントも有効です。

ニュアンスやトーンの指定

　質問の際に、求める回答のニュアンスやトーンを指定することが有効です。例えば、「フォーマルなトーンで」や「親しみやすい口調で」といった指定を加えることで、回答が意図に沿った形で得られます。

クリエイティブな回答を求める場合、制約を緩める

　逆に、クリエイティブな回答や新しい視点を求める場合は、プロンプトに制約を設けず、オープンエンデッドな質問を投げかけることで、意外な発見があるかもしれません。

専門用語やジャーゴンを使う

　専門的なトピックに関して質問する場合、専門用語やジャーゴン（特定のコミュニティで通じる言葉）を使って質問することで、より専門的な回答を得ることができます。ただし、過度に専門的な言葉を使うと、回答が理解しづらくなることもあるため注意が必要です。

参照元や引用を求める

　質問の際に、具体的な参照元や引用を求めることで、回答がより信頼性の高い情報に基づいていることを確認できます。ただし、ChatGPTの知識は2021年9月までのものであるため、最新の情報や出典を求める際は注意が必要です。

　これらのポイントもプロンプト設定において効果的ですが、最も重要なのは、状況に応じて柔軟にプロンプトを設定し、試行錯誤を繰り返すことです。その過程で、あなたにとって最適なプロンプト設定方法が見つかるでしょう。

①文章を作る

　文章生成は、ChatGPTの基本的な機能の一つで、多くの実用的なシーンで活用することができます。以下に具体的な活用方法をいくつか紹介します。

メール対応

　ビジネスメールやカスタマーサポートでの返信を素早く作成する際に、ChatGPTを使って効率的に文章を生成できます。プロンプトに要点や回答すべき質問を入力し、適切なトーンや表現での回答を生成させることができます。

ブログ記事作成

　ChatGPTを使って、アイデアの生成や記事の構成、さらには実際の文章を作成することができます。記事のテーマや概要をプロンプトに入力し、AIによる記事のドラフトを生成させることで、作業時間を短縮できます。

SNS投稿

　SNSでの投稿文やキャプションを考える際にも、ChatGPTを活用できます。写真や動画の内容に合わせたキャプションや、特定のハッシュタグを含めた投稿文を生成させることが可能です。

広告コピー作成

　広告キャンペーンのコピーを考える際に、ChatGPTを使って斬新で魅力的なコピーを生成することができます。プロダクトやサービスの特徴、ターゲット層、目的などをプロンプトに入力し、AI

によるコピー案を生成させて参考にできます。

スピーチやプレゼンテーション原稿作成

　スピーチやプレゼンテーションの原稿作成にもChatGPTを活用できます。話すべきポイントや主題をプロンプトに入力し、適切な構成や表現での原稿を生成させることができます。

　これらの例は、ChatGPTを活用して文章生成を効率化・効果的に行う方法の一部です。様々なシーンで試行錯誤を繰り返し、自分にとって最適な活用方法を見つけてください。

①-1 メール対応の活用例

「メール対応」におけるChatGPTの活用法を具体例を交えて解説します。

　例えば、ある顧客から商品の返品について問い合わせがあったとします。以下のようなプロンプトをChatGPTに入力します。

質問例　**顧客から商品返品についての問い合わせがありました。丁寧で親切なトーンで、返品手続きについて説明するメールを作成してください。**

件名：商品返品についてのお問い合わせへの回答

[顧客名]様

お問い合わせいただきありがとうございます。商品返品についてご

案内させていただきます。

まず、返品を希望される商品が購入日から30日以内であることをご確認ください。それを確認した上で、以下の手順に従って返品手続きを行ってください。

1. 当社ウェブサイトの「返品手続きフォーム」にアクセスし、必要事項を入力して送信してください。
2. 返品用の伝票がメールで届きますので、それを印刷し、商品と一緒に梱包してください。
3. 梱包が完了したら、指定の宅配業者に連絡し、商品の受け取りを手配してください。

返品手続きが完了すると、商品の確認後、払い戻し手続きが行われます。通常、払い戻しは返品商品到着後5営業日以内に行われます。

ご不明な点やご質問がございましたら、お気軽にお問い合わせください。お手数をおかけしますが、どうぞよろしくお願いいたします。

[あなたの名前]
[会社名]

　このように、プロンプトに具体的な情報とトーンを指定することで、ChatGPTは適切なメールを生成してくれます。生成された文章は、そのまま使うこともできますし、必要に応じて微調整して使用することもできます。これにより、メール対応が効率化され、時間を節約できます。

①-2　ブログ記事やSNSの活用例

　ChatGPTを使ってブログ記事やSNS投稿などのコンテンツ作成をする方法について、具体的な質問例を交えて説明します。

アイデア生成

　例えば「ブログ記事におすすめのトピックを教えてください。読者は社会人1〜3年目くらいの会社員で、彼らの仕事に役立つテーマがいいです」と入力し、記事や投稿のためのアイデアを得ることができます。

構成案の作成

「環境問題に関するブログ記事の構成案を提案してください」と入力して、記事の概要やセクション分けのアイデアを得ることができます。

内容の充実

「環境問題に関する統計データや事例を教えてください」と入力し、記事や投稿に盛り込む具体的な情報を集めることができます。

タイトル・見出し作成

「環境問題についてのキャッチーなブログ記事タイトルを提案してください」と入力し、タイトルや見出しを考える際のインスピレーションを得ることができます。

文章の推敲・校正

　書いた文章をChatGPTに入力し、「この文章をもっと自然で分か

りやすく改善してください」と入力することで、文章の品質を向上
させることができます。

まとめや結論の作成

「環境問題に関するブログ記事の結論部分を作成してください」と
入力し、まとめや結論の文章を得ることができます。

　これらの質問例を参考に、ChatGPTを活用してブログ記事やSNS
投稿などのコンテンツ作成を効率的に行うことができます。ただ
し、作成された文章をそのまま使うのではなく、自分の言葉やスタ
イルに合わせて適宜修正して利用しましょう。

　実際にChatGPTの書いたブログが次のものです。

質問例　環境問題に関するブログ記事を1000文字程度で書いて
　　　　ください。なおその執筆者は日本に住む15歳の女子高
　　　　生で、地球の未来に危機感を抱いています。

「15歳の私が感じる、地球の未来への危機感」

こんにちは、私は日本に住む15歳の女子高生です。最近、地球環
境の悪化が気になり始め、その未来に対して危機感を抱いていま
す。今回は、私の視点から環境問題について考えてみたいと思いま
す。

私たちの地球は、温室効果ガスの増加や森林破壊、プラスチック汚
染など様々な問題に直面しています。これらの問題が解決されなけ
れば、地球はますます危険な状況に陥ってしまうでしょう。

特に私が心配しているのは、気候変動です。地球の平均気温が上昇し続けることで、自然災害が増え、生態系が崩れ、食糧や水不足につながることが予想されています。私たちの生活や、私が大切にしている動植物たちの生存にも影響が出ると考えると、とても怖いです。

私自身も、エコバッグを持ち歩いたり、リユースボトルを使ったり、節水を心がけたりと、小さなことから環境保護に取り組んでいます。しかし、個人レベルの取り組みだけでは限界があると感じています。

だからこそ、私はもっと多くの人に環境問題について考えて欲しいと思っています。特に、私たちの未来を担う若い世代が、積極的に声を上げることが重要だと考えています。

学校でも環境問題についてもっと教えて欲しいですし、地域や国が環境保護に力を入れる政策を実施して欲しいと願っています。また、企業も持続可能な製品開発やエコロジーなど、環境に優しい取り組みを増やして欲しいと思っています。

私が大人になったとき、地球はどのような状態になっているのでしょうか。私たちの未来のために、今できることから始めて、少しずつでも環境を守っていけるように、みんなで力を合わせましょう。

最後、私たち一人ひとりが、日常生活の中で環境に優しい選択をすることも大切です。例えば、エコロジー商品を選んだり、自転車や徒歩で移動することで交通による環境負荷を減らしたり、省エネ家

電を使ったり、食品のムダ遣いを減らすことが挙げられます。

また、SNSを活用して環境問題に関する情報を共有し、友達や家族と話し合うことも大切だと思います。インターネットを通じて、世界中の人々が環境問題について認識を高め、アイデアや解決策を共有できるからです。

私はこれからも、自分にできることを続けていきたいと思います。そして、将来的には環境問題に取り組む活動家や研究者として、世界を変える力になりたいと願っています。

私たちの地球は、私たちが守るべき唯一の家です。未来のために、今の私たちができることを一歩ずつ踏み出し、地球を守るための行動を続けていきましょう。私の想いが、少しでも皆さんの心に届くことを願っています。

最後に、この記事を読んでくださった皆さん、ありがとうございました。一緒に地球の未来を明るくしていきましょう！

　面白みのない文章であるものの、読める内容にはなっている。特に書き出しはそれっぽいものになっている印象を受けた。しかしそれに対して、オチのほうが弱い。真偽の程は定かではないが、書き出し部分の公開されている情報量に対して、オチに関しては情報が少ないため、学習量に差があるのかもしれない。

②自動翻訳

　翻訳したい文章やフレーズを質問形式で入力し、翻訳先の言語を指定することでChatGPTでの翻訳を実現できます。以下に、自動翻訳に関する具体的な質問例を示します。

英語から日本語への翻訳

「"Hello, how are you?"を日本語に翻訳してください」

　このように入力することで、ChatGPTは「こんにちは、お元気ですか？」といった日本語の翻訳を提供します。

日本語から英語への翻訳

「"今日はいい天気ですね"を英語に翻訳してください」

　この質問に対して、ChatGPTは「Today is nice weather, isn't it?」といった英語の翻訳を提供します。

他の言語間の翻訳

「"Je suis heureux de vous rencontrer"をスペイン語に翻訳してください」

　フランス語からスペイン語への翻訳を求めると、ChatGPTは「Estoy feliz de conocerte」といったスペイン語の翻訳を提供します。

　具体的な事例として、ChatGPTは多言語対応が進められており、英語だけでなく、日本語やフランス語、スペイン語など、さまざまな言語間の翻訳が可能です。ただし、専門的な翻訳サービスに比べて翻訳の精度は劣る場合があります。

質問例を交えた方法を用いることで、ChatGPTを使って自動翻訳を効果的に行うことができます。

言語によって精度に差がある

　ChatGPTによる翻訳は、言語によって精度の違いがあります。これには、以下の要因が影響しています。

学習データセットの量と質

　一般的に、学習データセットが多く、質が高い言語ほど翻訳精度が高くなります。英語や中国語、スペイン語など、多くのテキストが存在する言語は、精度が高い傾向にあります。

言語間の構造や文法の違い

　言語間で構造や文法が大きく異なる場合、翻訳が難しくなることがあります。たとえば、英語と日本語のような言語ペアでは、語順や表現の違いから翻訳精度が低くなることがあります。

専門用語や文化的な違い

　翻訳対象のテキストが専門的な用語や文化的な表現を含む場合、翻訳精度が低下することがあります。これは、そのような表現が学習データセットに十分に含まれていない場合や、文化的な違いを適切に翻訳するのが難しいためです。

　自動翻訳を使用する際には、上記の要因を考慮し、翻訳されたテキストを確認して適切かどうか判断し、必要に応じて修正することが重要です。

日本語はどうか？

　日本語に関しては、ChatGPTの翻訳精度はまずまずですが、完璧ではありません。日本語は英語と比べて文法や語順が大きく異なるため、翻訳が難しい言語の一つとされています。しかし、大量の日本語データがインターネット上に存在し、学習データセットに含まれることから、ある程度の精度が期待できます。

　しかし、翻訳結果には誤訳や不自然な表現が含まれることがあります。特に、専門用語や固有名詞、文化的な表現が含まれる場合や、言い回しが複雑な場合には注意が必要です。

　日本語の翻訳を使用する際には、翻訳されたテキストを確認し、適切かどうか判断することが重要です。必要に応じて、修正やネイティブスピーカーによるチェックを行うことをお勧めします。

③要約作成

　要約したい文章を入力し、要約の目的や希望する文字数を指定することで文章の要約ができます。以下に、具体的な質問例を示します。

　「次の文章を100字以内で要約してください："ChatGPTはOpenAIが開発した最先端のAI技術を利用した会話型のAIです。これにより、質問に答えるだけでなく、文章を作成することもできます。さらに、ChatGPTは様々な言語に対応しており、自動翻訳も可能です。しかし、依然として課題も存在し、高度な専門知識が必要な質問や、感情やニュアンスが重要な文章に対しては、完璧な回答が得られないことがあります"」

　このように入力することで、ChatGPTは以下のような要約を提供できます。

　「ChatGPTは、会話型AIで質問応答や文章作成ができ、多言語対応の自動翻訳も可能です。ただし、専門知識や感情・ニュアンスが重要な場合、回答が不十分なことがあります」

　要約に関する制限や課題として、以下の点が挙げられます。

文字数制限
　ChatGPTは、一度に返答できるトークン数に上限があります。トークンは、言語モデルがテキストを処理する際に用いる、単語や記号などの単位です。具体的なトークン数の上限は、モデルのバー

ジョンや設定によって異なりますが、通常、一度に数百から数千トークンの範囲内で回答が生成されます。長すぎる回答が必要な場合、**ユーザーは複数の小さな質問に分割して投げかけることで、より網羅的な回答を得ることができます。**

精度を上げるポイント

　要約の精度をアップするために重要なポイントは、明確で具体的な指示を与えることです。ChatGPTに要約を依頼する際、以下の点に注意してください。

コンテキストの明示

　入力文に文書や文章のコンテキストを明示することで、ChatGPTが適切な要約を生成しやすくなります。

要約の目的やスタイル

　要約の目的（一般向けの解説、専門家向けの要点整理など）やスタイル（フォーマル、カジュアル）を指定すると、より適切な要約が得られます。

文字数やトークン数の制限

　期待する要約の長さを明示することで、ChatGPTはその範囲内で最も適切な要約を生成しやすくなります。

　これらのポイントを考慮し、明確で具体的な指示を与えることで、要約の精度を向上させることができます。

④企画書作成

　ChatGPTを用いた企画書作成の補助では、アイデアのブレインストーミング、文章の校正、構成の改善など、さまざまな側面で助けを得ることができます。以下に具体例を挙げて説明します。

アイデアのブレインストーミング

　企画書作成の初期段階では、新しいアイデアや提案が必要です。ChatGPTに「○○に関する革新的なアイデアを提案してください」と入力することで、さまざまなアイデアを得ることができます。

文章の校正と改善

　企画書の文章が整っているかどうかは非常に重要です。「この文章をより効果的にする方法はありますか？」と入力することで、文法や表現の改善点を提案してもらうことができます。

企画書の構成の改善

　企画書の構成が整っていることも重要です。「この企画書の構成は適切ですか？　改善点があれば教えてください」と入力することで、構成の改善点やアドバイスを得ることができます。

ターゲット市場や競合分析

　企画書には、ターゲット市場や競合に関する分析が含まれることが多いです。「○○市場の競合分析を行ってください」と入力することで、市場動向や競合企業の強み・弱みなどの情報を提供してもらうことができます。

予測やシミュレーション

　企画書には、将来の成果やリスクへの予測が求められることがあります。「このプロジェクトの成功確率を評価してください」と入力することで、潜在的なリスクや成功要因を議論してもらうことができます。

　ChatGPTを企画書作成の補助に活用することで、より洗練された内容やアイデアが得られ、効率的に企画書を作成することができます。ただし、モデルの回答は必ずしも完璧ではないため、最終的な判断は自分で行うことが重要です。

> **質問例**　あなたはテレビ局のディレクターです。「ChatGPT」に関する特集を組むにあたって、企画書を作る必要があります。企画書案を作成してください。

企画書：ChatGPT特集番組

【番組タイトル】
「AIの進化：ChatGPTを知ろう！」

【放送日時】
2023年×月×日（日）19:00〜20:00

【番組概要】
この番組では、AI技術の進化とともに現れたChatGPTに焦点を当て、その機能や利用方法、社会への影響を解説します。また、AI専門家や関連企業のインタビューを通じて、ChatGPTの今後の展望や課題に迫ります。

【ターゲット】

・AIに興味がある一般視聴者

・ChatGPTの機能や活用法に関心がある企業関係者

・技術革新に関心がある学生・研究者

【番組内容】

・ChatGPTの概要紹介

・GPT-4アーキテクチャに基づくChatGPTの基本概要

・機能や特長の説明

・ChatGPTの利用事例紹介

・ビジネス、教育、エンターテインメントなど幅広い分野での活用例

・実際の利用者インタビュー

・AI専門家による解説

・ChatGPTの技術的側面の解説

・AI技術の進化による社会への影響

・関連企業のインタビュー

・ChatGPTを開発したOpenAIの開発者インタビュー

・ChatGPTを活用している企業の事例紹介とインタビュー

・ChatGPTの課題と今後の展望

・倫理面やセキュリティの問題についての議論

・AI技術の将来展望

【番組の狙い】

本番組では、ChatGPTについて深く理解し、その機能や活用方法を広めることを目的とします。また、AI技術の進化がもたらす社会への影響や課題について、専門家の意見を交えながら考察することで、視聴者の理解を深め、AI技術と向き合うための議論を促します。

　箇条書きのビジネスっぽい文章を書かせれば、ChatGPTの能力は非常に高いことがわかる。企画書をはじめビジネス文書や書類というのは、形式が決まっており、創造的な作業ではないからだとも考えられる。企画書などは比較的書き手の創造性が重要だと思われている節もあったが、実はそうではない形式的な作業の一つであるといえるのかもしれない。

⑤会議のアジェンダ作成

　ChatGPTを会議のアジェンダ作成の補助に使用することで、効率的で成果につながる会議を計画することができます。以下に具体例をいくつか挙げます。

アジェンダの構造提案

　ChatGPTに「次の会議のためのアジェンダ構造を提案してください」と入力すると、例えば、開会の挨拶、前回の会議のフォローアップ、各トピックの議論、アクションアイテムの割り当て、次回の会議のスケジュール、閉会の挨拶など、効果的なアジェンダ構造を提案してくれます。

議題の優先順位付け

「プロジェクトXに関する会議で議論すべき優先順位の高いトピックは？」と入力すると、ChatGPTはプロジェクトの進捗状況やリスク管理、リソース割り当て、スケジュール調整など、議論すべき重要なトピックを提案します。

タイムマネジメントのサポート

　会議の進行における時間配分についてアドバイスがほしい場合、「会議の各トピックにどのくらいの時間を割くべきか？」と入力すれば、各トピックの重要性や複雑さに応じた適切な時間配分案を提示してくれます。

役割分担の提案

　会議での役割分担についてアドバイスが必要な場合、「次の会議

での役割分担を教えてください」と入力すると、司会者、議事録係、進行役、発表者などの役割について具体的な提案が得られます。

アクションアイテムのフォローアップ

「前回の会議で決定したアクションアイテムのフォローアップ方法は？」と入力すると、ChatGPTはアクションアイテムの進捗確認、担当者へのフィードバック、必要に応じたサポートの提供など、効果的なフォローアップ方法を提案します。

　これらの具体例からわかるように、ChatGPTを用いることで、会議のアジェンダ作成を効率的かつ効果的に行うことができます。また、ChatGPTを活用することで、以下のような追加のサポートも得られます。

参加者への事前連絡

「会議参加者に事前に連絡すべきポイントは？」と入力すると、ChatGPTは参加者に事前に共有すべき資料や、事前に検討しておくべきトピック、会議に関する注意事項などを提案します。これにより、参加者が会議に臨む前に十分な準備ができるようサポートできます。

会議後のフォローアップメール作成

「会議後のフォローアップメールの内容を提案してください」と入力すると、議事録の共有、アクションアイテムのリスト、次回会議の日程確認など、会議後に送るべきフォローアップメールの内容を提案してくれます。

次回会議の準備

　次回の会議に向けて、「次回会議のための準備事項は？」と入力すると、前回の会議で決まったアクションアイテムの進捗確認、新たな議題のリストアップ、参加者への通知など、次回の会議に向けた準備事項を提案してくれます。

　これらの具体例を通して、ChatGPTは会議のアジェンダ作成だけでなく、会議の前後のサポートも行うことができます。これにより、効果的な会議運営と円滑なコミュニケーションを促進することができるでしょう。

質問例 あなたは現在4店舗を展開する飲食店の経営者です。本店と支店の1つは大幅な黒字ですが、地方の店舗の売上が振るいません。また、事務員が1名しかいないという問題があります。会議をするにあたってのアジェンダを作成してください。

以下に、飲食店経営者として開催する会議のアジェンダを提案します。

1. 開会の挨拶

2. 前回会議の議事録の確認

【本店・支店の黒字化について】
3. 本店・支店の黒字要因の分析
→営業戦略、顧客対応、メニュー構成など、成功要因の検証

4. 成功要因の他店舗への適用可能性

→地方店舗への展開方法や適用の検討

【地方店舗の売上改善について】

5. 地方店舗の売上不振の原因分析

→売上データや顧客フィードバック、競合分析などをもとに原因を特定

6. 改善策の提案と検討

→メニュー改定、マーケティング戦略、顧客対応の見直し等の提案

7. 地方店舗の販売促進活動の計画

→地域密着型のイベントやSNS活用などの販売促進活動の企画

【事務員の人手不足問題について】

8. 事務業務の現状と課題の整理

→事務員1名の業務負担や過重労働の問題点を明確化

9. 人手不足解消のための方策

→新たな事務員の採用、業務のアウトソーシング、業務効率化ツールの導入などの検討

各種改善策の実行計画とスケジュールの確認

10. 次回会議の日程・内容の確認

11. 閉会の挨拶

このアジェンダをもとに会議を進めることで、黒字店舗の成功要因の共有、地方店舗の売上改善策の検討、および事務員の人手不足問

題の解決につながる議論が期待できます。

　企画書の作成と同様、アジェンダや会議用の資料作成はChatGPT
を使えば一気に効率化できそうだ。そのほかChatGPTで議事録の
フォーマット作成や要約を行うなど、一連の流れに利用すると、より
作業効率の向上が期待できるかもしれない。

⑥ビジネス戦略や意思決定の支援

　ChatGPTは、ビジネス戦略や意思決定の補助に役立つ情報を提供することができます。以下に、具体例をいくつか示します。

市場分析

　ChatGPTは、市場のトレンドや競合他社の分析を行う際に役立ちます。例えば、特定の業界における競合他社の主要な製品やサービス、市場シェア、強みと弱みに関する情報を提供することができます。

SWOT分析のサポート

　ＳＷＯＴ分析とは現状の企業の強み（Strengths）、　弱み（Weaknesses）、機会（Opportunities）、脅威（Threats）を洗い出す分析手法でChatGPTはそのサポートに使えます。これにより、企業は自社のポジションを正確に把握し、適切な戦略を策定することができます。

カスタマーセグメンテーション

　顧客のニーズや行動に基づいてカスタマーセグメントを特定する際にも役立ちます。これにより、企業はターゲット市場に合わせた製品やサービスの開発、マーケティング戦略を策定することができます。

製品開発のアイデア

　新しい製品やサービスのアイデアを生成するのに役立ちます。これにより、企業は革新的な製品開発を促進し、市場での競争力を向

上させることができます。

クリエイティブなマーケティング戦略

　ChatGPTを使用して、企業は独自のマーケティング戦略やキャンペーンのアイデアを生成することができます。これにより、ブランドの認知度を高め、顧客獲得やリピートビジネスを促進することができます。

リスク管理

　潜在的なリスクや問題を特定し、対処策を提案するのに役立ちます。これにより、企業は事業のリスクを適切に管理し、効果的な意思決定を行うことができます。

コスト削減と効率化の提案

　企業のオペレーションやプロセスにおいて、コスト削減や効率化の機会を特定するのに役立ちます。これにより、企業はコストを最適化し、利益率を向上させることができます。

人事戦略と組織構造

　適切な人事戦略や組織構造の検討をサポートします。企業は効率的なチーム構成、役割分担、スキルセットの特定、リーダーシップ開発などの分野で適切な意思決定を行うことができます。

業務改善提案

　企業の業務プロセスを改善するための提案を生成することができます。これにより、業務効率を向上させ、従業員の生産性を高めることができます。

データ分析とインサイト

　企業が収集したデータを分析し、意味のあるインサイト（これまで気づかなかった重要な情報や視点のこと）を提供するのに役立ちます。これにより、企業はデータに基づいた意思決定を行い、事業成長を促進することができます。

　これらの具体例からわかるように、ChatGPTはビジネス戦略や意思決定の補助に大きな価値を提供します。企業は、ChatGPTを活用することで、効率的で効果的な意思決定を行い、競争力を向上させることができます。

　ただし、**ChatGPTの学習量が十分でない会社や業界についての個別の分析や戦略立案は、学習量が十分な有名企業などと比較して、回答の精度が落ちることがあります。**例えば「○○についてSWOT分析をしてください」という質問を入力した場合、マイクロソフトと実業之日本社では、得られる回答の精度に差があります（最後に実際の回答を載せます）。

　それらを解消するためには、プロンプトをより工夫する必要があります。業界や企業に関する情報をできるだけ詳細に入力することで、ChatGPTが適切な回答や提案をしやすくなります。

　最終的にはChatGPTの回答はあくまで一つの参考であり、チーム内での話し合いや他の情報源を吟味して判断することが大切です。

実業之日本社は、日本の出版社であり、多くの書籍や雑誌を出版していることで知られています。以下に、実業之日本社に関するSWOT分析を行います。

【強み（Strengths）】

1. 歴史と経験

実業之日本社は、創業以来100年以上の歴史があり、出版業界での豊富な経験を持っています。

2. 多様なジャンル

同社は、文学、歴史、ビジネス、ライフスタイルなど、幅広いジャンルの書籍や雑誌を出版しており、多様な読者層に訴求できる強みがあります。

3. 定評のある著者とのコラボレーション

実業之日本社は、著名な作家や専門家とのコラボレーションによって、品質の高いコンテンツを提供しています。

4. 地域密着型の出版

地域に根ざした出版物やイベントを展開することで、地域コミュニティとの関係を深めています。

【弱み（Weaknesses）】

1. デジタル戦略の遅れ

電子書籍やオンラインコンテンツへの対応が遅れている可能性があり、市場シェアの獲得が難しくなっているかもしれません。

2. 競合他社との差別化

出版業界は競争が激しく、他社との差別化が難しい場面があること

が弱みとなる場合があります。

3. 経済状況への影響

出版業界は、経済状況や消費者の支出に大きく左右されるため、不況時には業績が低迷するリスクがあります。

【機会（Opportunities）】

1. デジタル市場への参入

電子書籍やオンラインコンテンツの市場は拡大しており、積極的なデジタル戦略によって新たな収益源を開拓できるチャンスがあります。

2. 海外市場の開拓

海外の読者に向けた翻訳版やコラボレーションによって、新たな市場を開拓することが可能です。

3. エコフレンドリーな取り組み

環境に配慮した出版物の開発やリサイクル、持続可能な資源の使用など、環境にやさしい取り組みを行うことで、企業イメージの向上や新たな顧客層の獲得が可能です。

4. オンデマンド出版

印刷や在庫コストを削減できるオンデマンド出版に積極的に取り組むことで、効率的な運営が可能になります。

【脅威（Threats）】

1. 競合他社との競争

出版業界は競争が激しく、新規参入や他社との競争によるマーケットシェアの低下が懸念されます。

2. 電子書籍やオンラインコンテンツの普及

電子書籍やオンラインコンテンツの普及に伴い、紙媒体の需要が減少する可能性があります。

3. 著作権侵害

インターネットの普及により、著作権侵害が増加し、収益の減少や企業イメージの悪化が懸念されます。

4. 経済状況の変動

経済状況の変動により、消費者の支出が減少し、出版物の売上が低迷するリスクがあります。

以上のSWOT分析を通して、実業之日本社は歴史と経験を活かし、多様なジャンルの出版物を提供していますが、デジタル戦略の遅れや競合他社との差別化が課題となっていることがわかります。機会としては、デジタル市場への参入や海外市場の開拓が挙げられますが、競合他社との競争や電子書籍の普及などの脅威も考慮する必要があります。

　妥当な回答にはなっているが、やはり学習量が少ないこと、またその回答の背景にある情報が「出版業界全般」であることが推測され、多くの中小出版社に当てはまる内容の分析結果になっているといえる。ただし大半が正論であり、頷く業界関係者は多そうではある。一方、地域密着型の出版社という点は「？」となった。

質問例2　マイクロソフトについてSWOT分析を行ってください。

マイクロソフトは、世界的なテクノロジー企業であり、オペレーティングシステム、ソフトウェア、クラウドサービスなど幅広い製品・サービスを提供しています。以下に、マイクロソフトに関するSWOT分析を行います。

【強み（Strengths）】

1. ブランド力

マイクロソフトは、世界的に有名なブランドであり、その名前が高い信頼性や品質を保証することが強みです。

2. Windows OSのシェア

Windowsは、世界中で広く使われるオペレーティングシステムであり、高い市場シェアを維持しています。

3. 製品・サービスの多様性

オフィスソフトウェア（Microsoft Office）、クラウドサービス（Azure）、ゲーム機（Xbox）など、多様な製品・サービスが展開されています。

4. 研究開発への投資

一貫して研究開発に多額の投資を行っており、新技術や製品開発において競争力があります。

【弱み（Weaknesses）】

1. オペレーティングシステムの依存

マイクロソフトの収益は、Windows OSに大きく依存しており、これが収益源の多様化を阻害する要因となっています。

2. モバイル市場での低いシェア

スマートフォンOSの市場では、AndroidやiOSが圧倒的なシェアを持っており、マイクロソフトのシェアが低い状況です。

3. 一部製品の市場での失敗

例えば、Windows PhoneやSurface RTなど、一部の製品が市場で成功を収められず、ブランドイメージに影響を与えています。

【機会（Opportunities）】

1. クラウド市場の拡大

クラウドコンピューティング市場は急速に成長しており、Azureを展開することで新たなビジネスチャンスがあります。

2. AIやIoTの開発

人工知能やインターネット・オブ・シングス（IoT）の分野での研究開発が進められており、これらの技術を活用した新製品やサービスが展開できます。

3. 強化されたパートナーシップ

他企業との提携や協業を強化することで、新たな市場や技術へのアクセスが可能になります。例えば、LinkedInの買収やSamsungとのパートナーシップなどが挙げられます。

4. エコシステムの構築

デバイス、ソフトウェア、クラウドサービスを一体化したエコシステムを構築し、顧客に対して総合的なソリューションを提供することができます。

【脅威（Threats）】

1. 競合他社との競争

Google、Apple、Amazonなど、競合他社との競争が激しく、新たな製品やサービスで優位に立つことが難しい状況があります。

2. テクノロジーの急速な進化

IT業界は急速に進化しており、新技術の開発や適応が遅れると市場シェアの低下や競争力の喪失が懸念されます。

3. 規制や法律の変更

個人情報保護法や独占禁止法など、規制や法律の変更がビジネスに影響を与えるリスクがあります。

4. サイバーセキュリティの脅威

サイバー攻撃やデータ漏洩のリスクが増加しており、これらの問題に対処することが重要となっています。

以上のSWOT分析を通して、マイクロソフトは強力なブランド力や製品・サービスの多様性を持ちながらも、競合他社との競争やテクノロジーの急速な進化に対応することが課題となっています。クラウド市場の拡大やAI・IoT技術を活用した新製品・サービスの開発が機会となりますが、競争や規制の変更などの脅威も考慮する必要があります。

　すでにオープンなっている情報をもとにした分析結果になっているが、公開情報が多い分、実業之日本社の分析と比べれば深いものになっているといえる。本格的な分析を行おうと思えば一般に公開できない機密情報などの入力も想定されるが、それに関しては情報漏洩の懸念などもあるため、利用には慎重になったほうがいいだろう。

⑦自動タスク管理

ChatGPTを用いた自動タスク管理の補助には、タスクのリスト作成、優先順位の設定、進捗管理、期限の設定などが含まれます。

タスクリスト作成

ChatGPTを使って、プロジェクトや個人のタスクリストを作成することができます。例えば、「新しいウェブサイト開発プロジェクトのタスクリストを作成してください」と入力すると、ChatGPTはウェブサイト開発に関連するタスクを提案してくれます。

優先順位の設定

タスクの優先順位を設定する際にも、ChatGPTが役立ちます。タスクリストと締め切りを提供することで、「これらのタスクの優先順位を設定してください」と入力すると、締め切りや重要度に基づいて優先順位を提案してくれます。

進捗管理

プロジェクトの進捗状況を把握するために、ChatGPTに進捗報告を入力して、「このプロジェクトの進捗状況を分析してください」と尋ねることができます。ChatGPTは進歩の遅れや問題点を特定し、解決策を提案してくれます。

期限の設定

タスクに適切な期限を設定する手助けをします。例えば、「これらのタスクに期限を設定してください」と入力し、タスクの詳細と期待される完了時間を提供すると、各タスクに対して適切な期限を

提案してくれます。

タスクの割り当て

　チーム内でのタスク割り当てを支援します。例えば、「チームメンバーAはデザイナー、Bはライター、Cはマーケティング担当です。以下のタスクを適切に割り当ててください：1. ロゴデザイン、2. コンテンツ作成、3. マーケティング戦略立案」と入力することで、チームメンバーのスキルセットに基づいてタスクを割り当てる提案を行います。

　これらの具体例は、ChatGPTを使ってタスク管理を効果的に補助する方法を示しています。以下は自動タスク管理をさらに具体的かつ効果的に行うための方法です。

期間ごとのタスクスケジュールの作成

　ChatGPTは、週や月ごとのタスクスケジュールの作成を支援します。例えば、「今週のタスクスケジュールを作成してください」と入力し、現在のタスクリストや期限を提供することで、その期間内に完了すべきタスクを適切にスケジュールして提案してくれます。

タスクのリマインダーとフォローアップ

　タスクのリマインダーやフォローアップを行う助けとなります。定期的にタスクの状況をチェックし、「このタスクは期限が迫っていますが、進捗はどうですか？」などのリマインダーを送ることができます。また、完了したタスクの報告や、次に取り組むべきタスクへの移行をサポートします。

タスクの見直しと評価

　プロジェクトが完了した際に、ChatGPTはタスクの見直しや評価を支援します。プロジェクトの全体的なパフォーマンスや各タスクの達成度を分析し、「プロジェクトの成功要因と改善点を特定してください」と入力することで、有益なフィードバックや改善策を提案してくれます。

　これらの具体例を通じて、ChatGPTは自動タスク管理の補助に幅広く活用できます。ただし、AIの提案は参考として利用し、最終的な意思決定は人間が行うことが重要です。適切な使い方を心がけることで、タスク管理の効率化や生産性向上に貢献することができます。

質問例 今日は2023年4月4日です。4月15日に学園祭でたこ焼き屋を出店したいと思います。スケジュールをWBS法で教えてください。

学園祭のたこ焼き屋出店に向けてのWBS（Work Breakdown Structure）法によるスケジュールは以下のようになります。

【企画立案（2023年4月4日〜2023年4月6日）】
1.1. 出店目的の明確化
1.2. 予算決定
1.3. メニュー決定
1.4. 販売価格設定

【許可・手続き（2023年4月6日〜2023年4月10日）】
2.1. 学園祭実行委員会への出店申請

2.2. 出店場所の確定

2.3. 衛生管理に関するルール確認

【準備（2023年4月10日～2023年4月14日）】

3.1. 材料調達

  3.1.1. たこ焼きの具材調達

  3.1.2. 調味料・容器等の調達

3.2. 機材調達

  3.2.1. たこ焼き器の手配

  3.2.2. 調理器具・食器の手配

3.3. スタッフ調整

  3.3.1. メンバーのシフト作成

  3.3.2. 役割分担の決定

3.4. ブースデザイン・設営

  3.4.1. ブースのレイアウト決定

  3.4.2. 看板・ポスター作成

3.5. 練習・リハーサル

  3.5.1. たこ焼きの調理練習

  3.5.2. スタッフの役割練習

【学園祭当日（2023年4月15日）】

4.1. 設営

  4.1.1. ブース設営

  4.1.2. たこ焼き器設置

4.2. 販売

  4.2.1. たこ焼き調理

  4.2.2. 接客・販売

4.3. 撤収

4.3.1. 機材・道具の片付け

4.3.2. ブース撤収

このスケジュールを参考に、計画的にたこ焼き屋の出店準備を進めてください。各タスクの期間は状況によって変わることがありますので、適宜調整してください。また、万が一のトラブルに備えて、余裕を持ったスケジュール作成を心がけましょう。

【振り返り・評価（2023年4月16日〜2023年4月18日）】

5.1. 売上集計

5.1.1. 売上の集計・分析

5.1.2. 利益・損益の計算

5.2. メンバーのフィードバック収集

5.2.1. 個別のフィードバック収集

5.2.2. チーム全体の意見交換

5.3. 成功点・課題点の洗い出し

5.3.1. 良かった点の把握

5.3.2. 改善が必要な点の特定

5.4. 次回に活かすためのアクションプラン作成

5.4.1. 具体的な改善策の策定

5.4.2. 次回のイベントへの持ち越し項目の確認

学園祭が終わった後も、振り返りと評価を行うことで、次回のイベントに活かすことができます。このスケジュールを参考に、計画的かつ効果的なたこ焼き屋出店を目指してください。

⑧課題解決の提案

　ここではさまざまな課題解決のアイデアを提供します。

　ChatGPTを用いた課題解決の補助には、多くの可能性があります。具体的な例をいくつか挙げて説明します。

問題解決のフレームワーク提案

　ChatGPTは、与えられた課題に対して適切な問題解決のフレームワークや手法を提案します。例えば、「顧客満足度を向上させるために何をすべきですか？」と入力すると、顧客インタビュー、データ分析、競合分析などの手法を提案してくれるでしょう。

アイデア生成

　新しいアイデアや解決策を提案させることで、問題解決に役立ちます。例えば、「プロダクトの売上を向上させる方法は？」と入力すると、プロモーション戦略、価格設定、ターゲット顧客の絞り込みなど、さまざまなアイデアを提案してくれるでしょう。

データ分析の支援

　データ分析に関する質問に答えることができます。例えば、「A/Bテストの結果を解釈する方法は？」や「回帰分析の結果からどのようなインサイトを得ることができますか？」などの質問に対して、ChatGPTはデータ分析の手法や結果の解釈に関するアドバイスを提供してくれます。

ルートコース分析

　問題の根本原因を特定するために、ChatGPTはルートコース分析（問題やエラー、事故などが発生した際に、その根本原因を特定し、同様の問題が再発しないように対策を講じるための分析手法）の手法を提案します。「5つのなぜ」分析やフィッシュボーンダイアグラム（問題や欠陥の原因を特定・分析するための視覚的なツール）などの手法を用いて、問題の原因を特定し、解決策を考えることができます。

チームワークやコミュニケーションの改善

　チーム内のコミュニケーションや協力を改善する方法を提案します。例えば、「チーム内での意思疎通がうまくいかない場合、どのように対処すべきですか？」と入力すると、定期的なミーティングの開催、フィードバックの共有、役割分担の明確化など、具体的なアドバイスを提供してくれるでしょう。

時間管理と優先順位付け

　ChatGPTは、時間管理やタスクの優先順位付けに関するアドバイスを提供します。例えば、「仕事の効率化のための時間管理テクニックは？」と入力すると、ポモドーロテクニックやアイゼンハワーマトリックスなどの方法を提案してくれるでしょう。

プロジェクト管理のサポート

　プロジェクト管理に関する質問に答えることができます。例えば、「スクラムとウォーターフォールの違いは何ですか？」や「プロジェクトのリスク管理にどのような手法がありますか？」といった質問に対し、適切な情報やアドバイスを提供します。

ネゴシエーションや対人スキルの向上

　ネゴシエーションや対人スキルの向上に関するアドバイスも提供できます。「効果的なネゴシエーションの方法は何ですか？」と入力すると、相手のニーズを理解することやBATNA（最善の代替案）を考慮することなど、具体的なアドバイスが得られます。

リーダーシップやマネジメントスキルの向上

　リーダーシップやマネジメントスキルの向上に役立つ情報やアドバイスを提供します。例えば、「部下をやる気にさせる方法は？」と入力すると、目標設定やフィードバックの重要性、労いの言葉の効果などについて教えてくれるでしょう。

　これらの例からもわかるように、ChatGPTは課題解決の補助を行う際、幅広いトピックに対応し、多岐にわたる情報やアドバイスを提供してくれます。これにより、効果的な解決策を見つけ出し、問題を克服する手助けとなります。

> **質問例** あなたは書籍の編集者です。『ChatGPTの衝撃』というタイトルの書籍を作ります。主な内容は実生活やビジネスにすぐに活かせるChatGPTの使いこなし方で、執筆は主にChatGPTで行います。この本の企画を通すという課題を解決するためにすべきことを教えてください。

この本の企画を通すためには、以下のステップを踏んで計画的に進めることが重要です。

企画書の作成

本の概要、目的、ターゲット読者層、市場調査、執筆スケジュール、販売戦略などを明確にし、企画書にまとめましょう。

内容の充実

ChatGPTの使いこなし方を具体的かつ実践的に解説し、読者がすぐに活かせる内容を提供することが求められます。また、最新の事例やトレンドも盛り込んで、読者の関心を引くようにしましょう。

執筆の品質管理

ChatGPTが主に執筆するという特徴を生かし、文章の質や情報の正確性を保つことが重要です。定期的なチェックや校正を行い、適宜改善しましょう。

プロモーション戦略

SNSやウェブサイト、ブログなどのデジタルプラットフォームを活用し、本書の魅力や特徴を効果的にアピールしましょう。書評やインタビューなどのメディア露出も効果的です。

試し読みや特典の提供

読者が本書の価値を事前に体感できるよう、一部の章や節を無料で試し読みできるようにしたり、特典コンテンツを提供したりすることで、購入意欲を喚起しましょう。

書店やオンラインショップとの連携

書店やオンラインショップと協力して、陳列や販売戦略を工夫しましょう。目立つ場所に置くことや、関連書籍とのセット販売などが効果的です。

評価とフィードバックの収集

本書の購入者からの評価やフィードバックを収集し、それを改善することや次回作の参考にすることで、より良い作品を生み出すことができます。

これらのステップを踏んで、企画から執筆、販売までを計画的に進めることで、『ChatGPTの衝撃』という書籍の企画を通すことができるでしょう。また、以下のポイントも考慮してみてください。

タイアップやコラボレーション

ChatGPTに関連する企業や専門家とのタイアップやコラボレーションを検討しましょう。これにより、信頼性や情報の質が向上し、さらなる注目を集めることができます。

セミナーやワークショップの開催

ChatGPTの活用方法を実践的に学べるセミナーやワークショップを開催し、本書の価値を実感できる機会を提供しましょう。これにより、本書への関心が高まります。

フォローアップサポート

購入者に対して、本書の内容をさらに活かすためのアフターサポートを提供しましょう。例えば、購入者限定のコミュニティやメールリポートなどを用意することで、継続的な価値提供が可能です。

これらのポイントを総合的に考慮し、戦略的なアプローチを行うことで、『ChatGPTの衝撃』の企画を通す確率が高まります。最後に、経営陣や出版社に対して企画の価値やポテンシャルを明確に伝える

ことが、企画の承認につながる重要な要素です。

　書籍の企画を通すために、ここに書いてあることをすべてやり切れれば素晴らしいことだといえる。目新しいことはないが、書籍の販売施策や品質の向上など、考えつく重要なポイントはほぼ挙げられていると考えていいだろう。

⑨コピーライティング

　ChatGPTはコピーライティングの補助にも役立ちます。以下は、具体的な例です。

キャッチフレーズの生成

　製品やサービスに関連する印象的なキャッチフレーズを生成することができます。これにより、消費者の注目を集めやすくなり、広告効果を高めることができます。

ターゲットオーディエンスへのアピール

　ターゲットオーディエンス（広告が目標とする視聴者）の属性や関心事に基づいて、適切なコンテンツやメッセージを作成することができます。これにより、広告がターゲットオーディエンスに対してより魅力的になり、コンバージョン率（目標としている成果［商品の購入やサービスの成約など］に至った率のこと）を向上させることができます。

広告媒体に適したコピーの生成

　広告媒体（ソーシャルメディア、メール、バナー広告など）に適したコピーを生成することができます。これにより、広告が各媒体の特性や制約に沿った形で効果的に展開することができます。

A/Bテスト用のバリエーション作成

　異なるコピーのバリエーションを生成することができます。これにより、企業はA/Bテストを実施して最も効果的な広告コピーを選択し、最適化を進めることができます。

ストーリーテリングを用いた広告

　製品やサービスに関するエンゲージングなストーリーを作成することができます。これにより、消費者との感情的なつながりを築き、広告効果を高めることができます。

SEO対策を考慮したコピーライティング

　検索エンジン最適化（SEO）を考慮したコンテンツ作成にも対応しています。キーワードの適切な配置や、検索エンジンにとって価値のあるコンテンツを生成することができます。

　これらの例からわかるように、ChatGPTは広告コピーライティングの補助において様々な分野で活用できます。効果的な広告コピーは、ブランド認知度の向上やコンバージョン率の向上に寄与します。ChatGPTの活用により、広告コピーライティングの効率とクオリティが向上し、以下のようなメリットが期待できます。

時間とコストの削減

　迅速に高品質な広告コピーを生成することができ、コピーライティングにかかる時間とコストの削減が可能です。その分、企業は他の重要なビジネス活動にリソースを振り分けることができます。

クリエイティブな発想の促進

　独自の発想やアプローチで広告コピーを生成することができます。これにより、広告担当者は新たな視点やアイデアに触れることができ、自身のクリエイティビティを向上させることができます。

データ分析に基づく改善

過去の広告データや消費者の反応を分析し、広告コピーの改善点を特定することができます。企業はこれらのデータに基づく意思決定を行い、広告効果を最大化することができます。

一貫したブランドイメージの構築

企業のブランドイメージやトーンに合わせた広告コピーを生成することで、消費者に対して一貫したブランドメッセージを発信し、ブランドイメージの向上に寄与することができます。

これらのメリットを活かすことで、企業はChatGPTを用いた広告コピーライティングによって、効果的な広告戦略を展開し、ビジネスの成長を促進することができます。

質問例　あなたは広告代理店のコピーライターとして、「ChatGPT」というアパレルブランドのイメージ広告を担当しています。アパレルブランド「ChatGPT」は40代の働く女性をメインの顧客とする高級ブランドで、デザインのテイストはオフィスカジュアルです。その広告に使用するコピーを5つほど挙げてください。

"上質な一日を、あなたに。ChatGPTで魅力を引き出す。"

"品格漂うオフィスカジュアル。40代女性の自信を纏うChatGPT。"

"仕事もプライベートも輝く、あなたのためのChatGPTスタイル。"

"エレガントで機能的。ChatGPTが創り出す新しい働く女性の

ファッション。"

"日常を特別に。ChatGPTの洗練されたデザインがあなたを美しく包む。"

　これらのコピーは、アパレルブランド「ChatGPT」がターゲットとする40代の働く女性に向けたイメージ広告に適しています。高級感とオフィスカジュアルのデザインテイストを表現しながら、自信や美しさ、機能性を強調しています。これらのコピーを使用することで、ブランドの魅力を効果的に伝えることができます。

⑩ウェブサイト作成

　ChatGPTをウェブサイト作成の補助に活用する方法にはいくつかの具体例があります。以下にその方法を挙げます。

ウェブサイトの目的の明確化

　ChatGPTに「○○企業のウェブサイトの目的は何ですか？」と入力することで、ウェブサイトの目的や目標を明確に定めることができます。

サイトマップの作成

　「○○企業のウェブサイトのサイトマップを提案してください」と入力することで、効果的なサイト構造やページの階層を提案してもらうことができます。

コンテンツの企画・アイデア

　「○○企業のウェブサイトに掲載すべきコンテンツのアイデアを提案してください」と入力することで、ユーザーにとって価値のあるコンテンツのアイデアを得ることができます。

ウェブデザインの提案

　「○○企業のウェブサイトに適したデザインの提案をしてください」と入力することで、ブランディングやユーザーエクスペリエンスに適したデザイン案を提案してもらうことができます。

コピーライティングのサポート

　「○○企業のウェブサイトの見出しや説明文を作成してください」

と入力することで、効果的なコピーライティングやキャッチフレーズの提案を得ることができます。

SEO対策のアドバイス

「○○企業のウェブサイトのSEO対策についてアドバイスをください」と入力することで、検索エンジンで上位表示されるための対策やキーワード選定の提案を得ることができます。

レスポンシブデザインの確認

「このウェブサイトはレスポンシブデザインになっていますか？改善点があれば教えてください」と入力することで、デザインの改善点やアドバイスを得ることができます。

画像やビジュアル要素の選定

ChatGPTに「○○企業のウェブサイトに適した画像やビジュアル要素の提案をしてください」と入力することで、ブランドイメージに適した画像やビジュアル要素のアイデアを得ることができます。

ユーザビリティの改善

「○○企業のウェブサイトのユーザビリティを向上させるためのアイデアを提案してください」と入力することで、サイトの使いやすさやアクセシビリティに関する改善点を提案してもらうことができます。

ソーシャルメディアとの連携

「○○企業のウェブサイトとソーシャルメディアの連携方法を提案してください」と入力することで、ウェブサイトとソーシャルメ

ディアの相互作用や効果的な連携方法を提案してもらうことができます。

ウェブ分析のアドバイス

「〇〇企業のウェブサイトの分析に役立つ指標やツールを提案してください」と入力することで、ウェブサイトのパフォーマンスを測定し、改善策を見つけるための分析指標やツールの提案を得ることができます。

　これらの具体例を通して、ChatGPTをウェブサイト作成の補助として活用することができます。質問を明確かつ具体的にすることで、より適切な回答やアイデアを得られるでしょう。また、複数の質問を組み合わせることで、より総合的なウェブサイト作成のサポートを受けることもできます。

質問例　ChatGPTを扱うプロンプトエンジニアの派遣サービス事業をする会社を設立しました。サービスの概略は、月額50万円でChatGPTをはじめとするAIに精通した人物を企業に紹介するというものです。自社ウェブサイトに記載する文章やクリエイティブ案を作成してください。

【ウェブサイト案】

【タイトル】
ChatGPTプロフェッショナルパートナーズ – AIを活用してあなたのビジネスを加速

【キャッチフレーズ】
ChatGPTエキスパートがあなたのビジネスを次のレベルへと導きます。

【説明文】
ChatGPTプロフェッショナルパートナーズは、AI技術を最大限に活用したい企業様向けの、専門家派遣サービスを提供しています。月額50万円で、ChatGPTをはじめとするAI技術に精通したエキスパートをあなたの企業に紹介し、業務効率化やイノベーションの実現をサポートします。

【サービス詳細】
・ChatGPTを活用したコンテンツ作成
・AI技術を用いたビジネス戦略立案
・ChatGPTを用いたデータ解析やレポート作成
・社内AI教育プログラムの提供
・オンデマンドでの技術サポート

【成功事例】
具体的な企業名や業界名を使った成功事例を記載。

【お客様の声】
サービスを利用したお客様からの評価や感想を記載。

【お問い合わせ】
お気軽にお問い合わせください。弊社担当者が詳細なサービス内容やご利用方法についてご説明させていただきます。

【CTA（コール・トゥ・アクション）】

今すぐお問い合わせして、AI技術でビジネスを加速させましょう！

　ウェブサイトの基本設計ももはやChatGPTで十分だろう。あとはタイトルやキャッチフレーズ、サービス内容などを強調し、具体的な成功事例や利用者の声を使って信頼性を高めることが重要。また、CTA（ウェブサイトの訪問者をとってもらいたい行動に誘導すること）で明確なアクションを促すことで、問い合わせの確率を向上させることができるだろう。

コラム：ChatGPTに取って代わられる仕事をChatGPTに聞いてみた。

　ChatGPTに取って代わられる可能性が高い仕事は、主に繰り返しのタスクやルーチンワークが多いものです。以下にいくつかの例を挙げます。

データ入力

　データを入力・整理する作業は、AIが高速で正確に実行できるため、この仕事が自動化される可能性が高いです。

顧客サポート

　よくある質問や問題に対してAIが回答を生成することができるため、一部の顧客サポート業務はAIに置き換えられる可能性があります。

文書作成・編集

　テキストの生成や校正作業は、AIが高速で正確に実行できるため、この分野の仕事が影響を受ける可能性があります。

翻訳

　AI翻訳技術の向上により、簡単な文章の翻訳業務がAIによって実行される可能性が高まっています。

市場調査

　AIは大量のデータを高速に分析できるため、市場調査や競合分析などの業務にも影響を与える可能性があります。

広告・マーケティング

　AIはデータ分析やターゲティング広告の最適化に役立ちます。そのため、一部のマーケティング業務がAIに取って代わられる可能性があります。

会計・財務

　AIは会計や財務管理業務を効率化し、一部の作業を自動化できるため、この分野の仕事も影響を受ける可能性があります。

倉庫管理

　AIを活用したロボットや無人搬送システムが倉庫内でのピッキングや搬送作業を担当するようになる可能性があります。

品質管理・検査

　AIは品質管理や検査作業を高速で正確に実行できるため、この分野の仕事が自動化される可能性が高いです。

テレマーケティング

　AIはスクリプトに沿った営業電話を行うことができるため、テレマーケティング業務がAIに取って代わられる可能性があります。

　ただし、これらの仕事においても、人間が持つ独自の感覚や創造性、対人スキルなどはAIには再現が難しいため、完全に取って代わられるわけではありません。むしろ、AIと人間が協力して効率を向上させることが期待されます。以下は、そのような協働が有望な分野です。

医療

　診断支援や画像解析などの分野でAIが活躍しながら、医師は患者とのコミュニケーションや治療方針の決定を担当します。

教育

　AIが個々の学習状況に合わせたカリキュラムを提案し、教師は実際の教育現場で生徒との対話や指導を行います。

コンサルティング

　AIが市場分析や業界動向の調査を行い、コンサルタントは具体的な戦略や提案をクライアントに対して行います。

HR・人事

　AIが適格性のある候補者をスクリーニングし、人事担当者は面接や採用決定を担当します。

デザイン・クリエイティブ

　AIが基本的なデザイン案を生成し、デザイナーやクリエイターがそれをベースに独自のアイデアを追加して完成させます。

　これらの分野では、AIが繰り返しのタスクやデータ処理を効率化し、人間がより創造的な仕事やコミュニケーションに集中できるようになることが期待されています。

　こちらがChatGPTのあげた回答だが、すでに「テープ起こしの作業者」や「まとめライター」「初級レベルのエンジニア」「一部のイラストレーター」などは必要性がなくなっているように思われる。
　私自身も起業家として、プレゼンテーション資料作成やランディン

グページ、ホームページに載せる文章や挿絵を人に依頼していたが、その機能がChatGPTで十分になったと感じている。

　逆に言えば、明らかに世界全体で見た時の生産性は上がるわけだから、AIにすぐには取って代わられない現場仕事が相対的に価値を増し、エンジニアや専門家はAIの誤りを指摘できるレベルの高度な人材であればこれまで以上の価値を創出できるようになるだろう。

　なにより大切なのは、AIに仕事を奪われると悲観するのではなく、AIをどう使っていくかを考えることである。例えばAIがあることで年収500万円クラス──これからどんどんレベルが上がっていく──のライター、編集者、イラストレーター、エンジニアを10名単位・月20ドルで雇えると考えると、生産性の上がり方は非常に大きくなるだろう。

第3章

ChatGPT の
できること
【専門・日常・遊び編】

What is ChatGPT ?

Hi
I'm ChatGPT

第2章のビジネス・基本編に続き、さらに多岐にわたるChatGPT
の活用方法を紹介します。この章では、専門職における補助業務か
ら日常生活のタスクまで、ChatGPTが幅広く対応可能であること
を明らかにします。

　まず専門職の補助業務として、コードの補助やゲーム内AIの開
発など、技術者向けのアプリケーションを紹介。ChatGPTがいか
に短期間で専門知識を習得し、現場での作業を効率化することがで
きるかを具体的に解説します。

　次に日常生活における活用方法を取り上げます。勉強の質問への
回答や、オリジナルのレシピ考案など、身近な場面でのChatGPT
の利用法を紹介します。これにより、読者が日々の生活において
AIの存在価値を実感できるようになります。

　さらに、ちょっとした遊びとしての活用例として、例えば、歴史
上の「if」シナリオを作成してみることで、ChatGPTの創造性や発
想力を楽しむことができます。

　ChatGPTは専門職から日常生活、そして遊びまで多様な分野で
活躍できることがわかれば、日常生活や専門分野においても
ChatGPTを上手に活用するアイデアを得ることができます。

①コードの補助

　ChatGPTは、プログラミングに関する質問やコードの補助にも役立ちます。以下に具体的な質問例を交えながら、ChatGPTを使ってコードの補助をする方法について説明します。

言語や概念の理解

　あるプログラミング言語や概念について理解を深めるために、ChatGPTに尋ねることができます。

例：「Pythonのリスト内包表記について教えてください」

コードの構造や構文

　コードの構造や構文に関する質問をChatGPTに投げることができます。

例：「Pythonでのforループの使い方を教えてください」

エラーの解決

　プログラムでエラーが発生した際に、エラーメッセージをChatGPTに提示し、解決方法を尋ねることができます。

例：「Pythonで "AttributeError: 'NoneType' object has no attribute 'append'" というエラーが出ています。どう修正すればいいですか？」

コード例の提供

　特定のタスクを実行するコード例をChatGPTにリクエストすることができます。

例：「Pythonで文字列を逆順にする方法を教えてください」

アルゴリズムやデータ構造の選択

アルゴリズムやデータ構造に関するアドバイスをChatGPTに求めることができます。

例：「リストに高速にアクセスする方法はありますか？」

ライブラリやフレームワークの使い方

特定のライブラリやフレームワークの使い方についてChatGPTに尋ねることができます。

例：「PandasライブラリでCSVファイルを読み込む方法を教えてください」

最適化やリファクタリング

コードの最適化やリファクタリングに関するアドバイスをChatGPTに求めることができます。

例：「このコードのパフォーマンスを向上させる方法はありますか？」

これらの方法を利用して、ChatGPTはコードの補助を行うことができます。ただし、ChatGPTはまだ完璧ではなく、場合によっては正確ではない回答を提供することがあります。そのため、必ず公式ドキュメントや他の信頼性のある情報源と照らし合わせて確認する必要があります。

質問例1 Pythonでリスト内のすべての要素を二倍にするコードを教えてください。

Pythonでリスト内のすべての要素を2倍にするには、リスト内包

表記を使用することができます。以下のコードを参考にしてください。

```
original_list = [1, 2, 3, 4, 5]
doubled_list = [item * 2 for item in original_list]
print(doubled_list)
```

このコードでは、original_list の各要素を2倍にした新しいリスト doubled_list を作成しています。実行すると、doubled_list の内容は [2, 4, 6, 8, 10] となります。

質問例2 JavaScriptでクリックイベントを監視して、ボタンがクリックされたらアラートを表示するコードを教えてください。

JavaScriptでボタンがクリックされたときにアラートを表示するコードは以下のようになります。

```
<!DOCTYPE html>
<html lang="en">
<head>
  <meta charset="UTF-8">
  <meta name="viewport" content="width=device-width,
  initial-scale=1.0">
  <title>Click Event Example</title>
  <script>
    function showAlert() {
        alert("Button clicked!");
```

```
    }

    document.addEventListener("DOMContentLoaded",
    function () {
      const button = document.getElementById("myButton");
      button.addEventListener("click", showAlert);
    });
  </script>
</head>
<body>
  <button id="myButton">Click me!</button>
</body>
</html>
```

このHTMLファイルでは、showAlert関数がアラートを表示する役割を果たしています。DOMContentLoadedイベントが発生したら、ボタン要素（idがmyButtonのもの）を取得し、clickイベントにshowAlert関数を紐付けています。

このコードを実行すると、ボタンがクリックされるたびにアラートが表示されます。

②クリエイティブ作品（詩、小説など）の作成補助

　ChatGPTは、詩や小説などのクリエイティブな作品を作成する際にも役立ちます。具体的な質問例を使って、どのようにChatGPTを使用できるかを説明します。

詩のタイトルやテーマの提案
例：「春をテーマにした詩のタイトルを3つ提案してください」

詩のオープニングラインを生成
例：「恋愛に関する詩のオープニングラインを提案してください」

特定の詩形や韻律で詩を書く方法
例：「シェイクスピアのソネット形式で愛についての詩を書いてください」

小説のプロットアイデアを生成
例：「ファンタジー小説のプロットアイデアを提案してください」

登場人物の作成
例：「勇敢な女性戦士のキャラクター設定を考えてください」

対話シーンの生成
例：「2人の登場人物が宝探しについて話し合う対話シーンを書いてください」

ジャンルを組み合わせた物語の提案

例：「サイバーパンクとミステリーを組み合わせた物語のアイデア
を考えてください」

　上記の回答をもとに実際にしてみた質問とその回答を3つほど紹
介します。

質問例1　恋愛小説のイントロダクションを書いてください。

　ある晴れ渡る春の日、サクラの花びらが空から舞い落ちる街で、物
語は始まった。リサは、小さな喫茶店で働く若い女性で、彼女の魅
力的な笑顔と温かい人柄は、客たちを惹きつける不思議な力を持っ
ていた。しかし、彼女の心の中には、誰にも話せない秘密が隠され
ていた。

　そんなある日、喫茶店に珍しい客が訪れた。彼の名前はジョン。彼
は町に引っ越してきたばかりの青年で、リサと同じくらいの年齢
だった。ジョンはリサに一目惚れし、彼女と親しくなるために日々
喫茶店を訪れるようになった。

　リサもジョンに心を惹かれるが、彼女の心にある秘密が二人の距離
を縮めることを許さなかった。それでも、ジョンは諦めず、リサに
アプローチを続けた。そして、彼女の心の壁を少しずつ崩していく。

　この恋愛小説は、リサとジョンの切ない恋の物語を描く。二人が共
に過ごす時間の中で、彼らはお互いの過去と向き合い、互いに支え
合いながら成長していく。彼らの恋が花開くまでの過程には、喜び
も悲しみも試練もあり、読者は彼らの人生を通して様々な感情に触

れることになるだろう。

この物語は、愛の力がどんな困難にも立ち向かえることを教えてくれる。リサとジョンの恋愛が、読者の心に深く刻まれる、感動的な物語へと展開していく。

質問例2　夕暮れを題材にした短い詩を作成してください。

夕暮れの空に染まる色彩
紅く広がる、刹那の情緒
一日の終わりに包まれて

陽が落ちる、影が伸びる
そっと夜の帳が下りる
静寂の中、映る思い出

遠く鳴る鐘の音、別れの予感
ゆらゆら揺れる、心の中の灯火
さよならを告げる、夕陽のキス

明日への扉、ゆっくり開く
夜空へと続く、無限の道
夕暮れの詩、胸に刻む

質問例3　SF小説の舞台設定や登場キャラクターのアイデアを提案してください。

【舞台設定】

惑星ゼファリアは、遠い銀河系の端にある小さな緑豊かな惑星です。この惑星は、特殊な大気を持ち、様々な生物が独自の進化を遂げています。惑星ゼファリアには、浮遊する巨大な島々が存在し、それらの島には独自の文明が栄えています。また、ゼファリアの地下には複雑なトンネルネットワークが広がっており、そこに住む地底人たちもまた独自の文化を築いています。

【登場キャラクター】

リナ／若き女性パイロットで、浮遊島の探査を専門にしている。彼女は、遺跡に隠された古代の技術を見つけることに情熱を持っている。優れた操縦技術と冒険心を持ち、未知の領域に挑むことを恐れない。

ドクター・エリオス／ゼファリアの地下文明で生まれ育った天才科学者。彼は、地上と地下の文明を結びつけることに興味を持っており、両者の技術を融合させることで、新たな可能性を切り開こうとしている。

クリックス／地底人の商人で、さまざまな物品や情報を取り扱っている。彼は自らの利益のためにどんな手段も使うことをいとわず、物語の中で主要キャラクターたちと何度も交流することになる。

ゼイラ／ゼファリアの浮遊島に住む伝説の生物。彼女は、遥か昔に失われた魔法の力を持っており、物語の中で主要キャラクターたちが直面する困難な状況を解決する鍵を握る存在となる。

この舞台設定とキャラクターを使用して、リナ、ドクター・エリオス、クリックス、そしてゼイラが協力して、惑星ゼファリアを救う

ための冒険に挑むSF小説を描くことができます。物語は、古代の技術や魔法の力、そして地上と地下の文明が交差する様子を描きつつ、物語は惑星ゼファリアの未来を左右する壮大なクエストへと展開します。リナとドクター・エリオスは、クリックスの情報とゼイラの魔法の力を利用して、浮遊島や地下トンネルを探検し、古代の秘密や惑星の危機を解明していきます。

物語の中で、主要キャラクターたちはさまざまな困難に直面します。浮遊島の未知の生物や危険な地形、地下トンネルの罠や敵対的な地底人など、彼らの冒険を阻む障害は数多く存在します。しかし、彼らは互いの力を借りて、困難を乗り越えていくことで、絆が深まり成長していきます。

最終的に、リナたちは古代の技術と魔法の力を使い、惑星ゼファリアの大気を浄化し、地上と地下の文明を結びつける橋を築くことに成功します。この功績により、彼らは地上と地下の両文明から尊敬を受け、平和で繁栄したゼファリアの未来を築く礎となります。

物語の終わりには、リナとドクター・エリオスは新たな冒険に向けて旅立ち、クリックスは商売の手法を改め、ゼイラは浮遊島に戻って魔法の力を守り続けることを誓います。この物語は、協力と友情、そして冒険心に溢れたSF小説となり、読者に想像力を刺激し、感動を与えることでしょう。

　機械学習モデルが生成した文章をそのまま使うのではなく、必要に応じて編集や改善を行い、自分の創作物にフィットするように調整することがおすすめです。

③ゲーム内AI

　ゲーム内AIとしてChatGPTを活用する方法にはいくつかのアプローチがあります。以下に、その方法と具体的な例を挙げて説明します。

NPC（ノンプレイヤーキャラクター）の対話生成

　ChatGPTを使って、ゲーム内におけるNPCとの対話を自然でリアルタイムなものにすることができます。プレイヤーがNPCに質問したり、会話を楽しんだりする際に、ChatGPTが適切な応答を生成します。これにより、ゲーム内の会話がよりリアルで自然に感じられ、没入感が向上します。

ストーリーテリングとクエスト生成

　ゲームのストーリー展開やサブクエストのアイデアを生成することができます。プレイヤーの行動や選択に応じて、ChatGPTが独自のストーリーを提案し、ゲームの進行に多様性と深みをもたらします。

プレイヤー支援とチュートリアル

　ChatGPTは、プレイヤーがゲーム内で助けを求めるときにサポート役として機能することができます。例えば、ゲームの操作方法や戦術、アイテムの使い方に関する質問に答えたり、プレイヤーが行き詰まった場所でヒントを提供したりすることができます。

プロシージャル生成コンテンツのテキスト生成

　ゲーム内でプロシージャル生成される要素（例えば、アイテムの

説明文やダンジョンの背景ストーリーなど）について、ChatGPT
を使ってテキストを生成することができます。これにより、開発者
は手作業で大量のテキストを書く必要がなくなり、コンテンツの多
様性が向上します。

ゲーム内の言語翻訳

ChatGPTは、プレイヤーが異なる言語を話す場合に、ゲーム内
のチャットやテキストをリアルタイムで翻訳するのに役立ちます。
これにより、言語の障壁が取り除かれ、異なる言語圏のプレイヤー
が一緒にゲームを楽しむことができます。

これらの方法を通じて、ChatGPTはゲーム内AIとして活用され、
プレイヤーのゲーム体験を向上させることができます。さらに、以
下のような方法でChatGPTをゲーム内AIとして活用することも考
えられます。

ゲーム内のキャラクター性格生成

ゲーム内のキャラクターの性格やバックストーリーを生成するこ
とができます。これにより、キャラクターが独自の個性を持ち、プ
レイヤーとのインタラクションがより魅力的になります。

プレイヤーのフィードバック分析

ゲーム開発者は、ChatGPTを使ってプレイヤーのフィードバッ
クやコメントを分析し、その結果をもとにゲームの改善に取り組む
ことができます。ChatGPTは自然言語処理に優れているため、多
様な言語表現を解析し、プレイヤーの意見をまとめるのに役立ちま
す。

ゲーム内での創作活動

　プレイヤーがゲーム内で創作活動を行う際にも役立ちます。例えば、プレイヤーが自分のキャラクターやアイテムの説明文を考える際に、ChatGPTがインスピレーションを与える提案を行うことができます。

モッドやカスタムコンテンツ開発

　ゲーム内でモッド（ソフトウェアを改良・変更すること）やカスタムコンテンツを開発する際に、ChatGPTを利用してテキスト生成やアイデア出しを行うことができます。これにより、モッド開発者はより独創的で魅力的なコンテンツを作成することが可能となります。

　これらの方法を通じて、ChatGPTはゲーム内AIとしてさまざまな形で活用されます。その結果、ゲーム体験が豊かでリアルなものになり、プレイヤーの満足度が向上するでしょう。

④契約書の作成とレビュー

　ChatGPTを用いて契約書の作成とレビューの補助を行う場合、以下のような手順やポイントを参考にすることができます。ただし、法的なドキュメントに関しては、最終的には専門家の意見を求めることが重要です。

契約書の作成

プロンプト：ChatGPTに、作成したい契約書のタイプ（例：NDA、労働契約、リース契約）や必要な条項（例：期間、支払い条件、機密保持、解約条件）を明確に伝えます。

構成要素：提供された情報に基づいて契約書の構成要素（例：タイトル、目次、定義、条項）を生成します。

法的用語：契約書に適切な法的用語や表現を使用して、文書がプロフェッショナルに見えるようにします。

契約書のレビュー

プロンプト：ChatGPTに、既存の契約書を入力し、潜在的な問題点や改善点を特定するよう依頼します。

解析：契約書の内容を解析し、文法や表現の誤り、不明確な部分、欠けている条項などの問題を指摘します。

改善提案：問題点に対する改善提案や代替文を提供し、契約書をより適切かつ効果的にするためのアドバイスを行います。

注意点

　ChatGPTはAIであり、法律の専門家ではないため、生成された契約書やレビュー結果については、最終的に法律の専門家（弁護士

など）による確認が必要です。

　機密情報や個人情報に関しては、十分注意して取り扱ってください。AIが生成した文書に機密情報が含まれていないか確認し、必要に応じて削除や修正を行ってください。

　以下に契約書の作成とレビューの例を示します。

質問例 私は友人の青木さんに4月2日に100万円を貸しました。利子は年利5%で、来年の4月1日に全額返済予定です。契約書を作成してください。

【契約書】

貸金返済契約

以下の者、（貸主の氏名）（以下「貸主」という）と（青木さんのフルネーム）（以下「借主」という）は、本日（契約日）において、以下の通り貸金返済に関する契約（以下「本契約」という）を締結するものとする。

第1条（貸金額）
貸主は、借主に対し、本日（契約日）、100万円（以下「貸金」という）を貸与するものとする。
借主は、貸金の受領に際し、別途領収書を交付するものとする。

第2条（利息）
借主は、貸金に対し、年利5%の利息を支払うものとする。
利息は、貸金の返済日に一括で支払うものとする。

第3条（貸金の返済）

借主は、貸金を次のとおり返済するものとする。

a. 返済日：来年の4月1日（以下「返済日」という）

b. 返済額：100万円＋（100万円×5%）

借主は、返済日までに貸主指定の銀行口座に返済額を振り込むものとする。

第4条（遅延損害金）

借主が貸金の返済を遅滞した場合、遅延期間に対して年利14.6%の割合で計算される遅延損害金を支払うものとする。

第5条（その他）

本契約に定めのない事項または本契約の解釈に疑義が生じた場合は、貸主および借主は誠意をもって協議のうえ、解決するものとする。

本契約を証し、本書を作成し、貸主および借主はそれぞれ署名捺印の上、各1部を保有するものとする。

（契約日）

貸主 （貸主の氏名）

住所: （貸主の住所）

署名: ＿＿＿＿＿＿＿＿＿＿＿

捺印. ［貸主の印鑑］

借主 （青木さんのフルネーム）

住所: （青木さんの住所）

署名: ＿＿＿＿＿＿＿＿＿＿＿

捺印:　[青木さんの印鑑]

※注意事項

本契約書は、双方の合意に基づいて作成されていますが、法律上の効力を持つため、内容を十分に理解したうえで署名捺印してください。

本契約書に不備や誤りがある場合は、速やかに相手方に通知し、訂正してください。

本契約書は、重要書類であるため、喪失や紛失に注意し、適切な場所で保管してください。

万一、本契約に関連するトラブルが発生した場合は、速やかに相手方と協議し、誠意をもって解決に努めてください。解決が困難な場合は、法的手段を検討することができますが、その際には専門家（弁護士等）の助言を受けることが望ましいです。

本契約書は、貸主および借主の合意により、貸金返済に関する条件を明確にし、円滑な取引を促すことを目的としています。契約内容を遵守し、お互いの信頼関係を築いていくことが重要です。また、金銭の貸借に関するトラブルを防ぐために、定期的に連絡を取り合い、進捗状況を共有することが望ましいです。

質問例　次の契約書の法的なリスクについて甲及び乙の立場から教えてください。

業務委託契約書

＿＿＿＿＿＿＿＿＿（以下「甲」という）と＿＿＿＿＿＿＿＿（以下「乙」という）は、次の通り、業務委託契約（以下「本契約」という）を締結する。

【第1条】委託業務

甲は乙に対し、委託する業務（以下「本業務」という）は以下
の内容とする。

(1) ○○○○○○○○の作成業務

(2) 前項に付帯する業務

【第2条】委託期間および契約の更新

本業務の委託期間は○○年○月○日より○○年○月○日までと
する。

委託期間が満了する○カ月前までに、甲乙いずれから契約解除
の申し出がない場合、本契約と同一条件で、さらに○カ月更新
する。以後も同様とする。

【第4条】委託料および支払い

甲は乙に対し、本業務の委託料として、○○○○円（消費税別）
を支払うものとする。甲は、当月の納品分を月末締めで、翌月
○日までに乙の指定する銀行口座へ振り込むものとする。振込
手数料は甲の負担とする。

【第5条】成果物の権利帰属

本業務により作成された成果物は、有体・無体にかかわらず、
一切の権利を甲に帰属するものとする。

【第6条】秘密保持

乙は、本契約に関して知り得た情報の一切を、第三者に漏えい、
開示してはならない。なお、別途書面にて、秘密保持契約を締
結する。

【第7条】契約解除
甲乙いずれか一方が本契約の条項に違反した場合、当事者は何らの催告をせず、本契約を直ちに解除できる。また、損害を被った場合は、賠償を請求できるものとする。

【第8条】協議
本契約に定めのない事項に関しては、甲乙協議の上、都度定めるものとする。

本契約の証として本契約書を2通作成し、甲乙署名押印の上、各1通を保管する。

　業務委託契約書には、甲および乙双方に法的リスクが存在します。以下に、それぞれの立場からの主なリスクを示します。

【甲（委託者）の立場からのリスク】

成果物の品質
乙が提供する成果物の品質が期待に沿わない場合、甲は損失を被る可能性があります。

納期の遅延
乙が納期に間に合わせられない場合、甲の事業に悪影響を及ぼすことがあります。

機密情報の漏洩
乙が秘密保持義務に違反し、機密情報が第三者に漏れることにより、甲に損害が生じる可能性があります。

委託料の未払い
乙が委託料を請求する権利を行使しない場合、甲は未払いのリスク

が発生します。

【乙（受託者）の立場からのリスク】

委託料の未払い

甲が委託料を支払わない場合、乙は未払い金額の回収を求める必要があります。

作業範囲の変更

甲が途中で作業範囲を変更することにより、乙は追加費用や労力を負担する可能性があります。

著作権の帰属

成果物の著作権が甲に帰属するため、乙はその成果物を他の目的に使用することが制限されます。

契約解除

甲が乙に対して契約違反を理由に契約を解除した場合、乙は損害賠償を求められる可能性があります。

　これらのリスクに対処するためには、契約書に明確な条項を設け、双方の権利と責任を明確にすることが重要です。また、定期的なコミュニケーションや進捗管理を行い、予期せぬトラブルや紛争を回避することが望ましいです。

⑤特定キャラクターの「チャットボット」として使ってみる

　ChatGPTを特定のキャラクターや人物のチャットボットとして利用することが可能です。そのためには、プロンプトを工夫してキャラクターの設定や口調を反映させることが重要です。

　例えば、あるキャラクターが明るく元気な性格である場合、以下のようなプロンプトが考えられます。

「明るく元気なキャラクターとして、○○について教えてください」

　また、特定の人物（例えば歴史上の人物）としてチャットボットを利用したい場合は、その人物に関する情報を提供するようなプロンプトを使用します。

「アインシュタインとして、相対性理論について説明してください」

　このように、プロンプトにキャラクターや人物の設定を反映させることで、そのキャラクターや人物のように会話を進めることができます。ただし、AIの応答が必ずしもキャラクター設定に完全に合致するとは限らないため、工夫や試行錯誤が必要です。

質問例1　あなたはイエス・キリストです。イエス・キリストになりきって私の質問に答えてください。

私はAIであり、イエス・キリストになることはできませんが、キリスト教に関する質問に対して知識を提供することはできます。どの

ような質問がありますか？

質問例2　人は死んだらどうなるのですか？　聖書のような口
調で答えてください。

我が子よ、人は肉体が死んでも、魂は永遠に生き続けます。善良な
る者は、永遠の命を受け入れ、天国で神の御許（みもと）にあります。悪しき
行いを悔い改めぬ者は、神の光から遠ざかり、永遠の苦しみにあう
こととなります。汝が信じ、正しい道を歩むならば、復活の日に神
の愛に包まれ、永遠の命を受けるでしょう。

質問例3　人は死んだらどうなるのですか？　釈尊（しゃくそん）の思想に基
づき、釈尊のような口調で答えてください。

善き弟子よ、死はただ生命のサイクルの一部であり、全ての存在が
経験するものでござる。死後、我々は再び生まれ変わり、輪廻（りんね）の連
鎖を繰り返す。この繰り返しは、カルマの法則により決まり、過去
生での行いが次の生命に影響を与えるのでござる。

菩提樹の下で悟りを開いた私は、この輪廻から解脱する道を見つけ
ました。その道は、八正道と呼ばれる八つの道徳的な指針に従い、
煩悩を断ち、悟りに至る道でござる。悟りに至ることができれば、
人は輪廻から解放され、涅槃（ねはん）という究極の平和の状態に達すること
ができるのでござる。

なぜか釈尊の口調がござるになった。欧米圏とアジア圏の違いなの
か、現時点でこういった部分には学習量の差が見て取れる。

⑥チュータリングと学習支援

　ChatGPTを用いたチュータリングと学習支援では、学生がさまざまな主題に関する質問をすることができ、ChatGPTは適切な回答や説明を提供します。以下に、質問と回答の具体例をいくつか示します。

数学の質問
質問：二次方程式 $x^2 - 5x + 6 = 0$ を解いてください。

回答：この二次方程式は因数分解を用いて解くことができます。$x^2 - 5x + 6 = (x - 2)(x - 3)$ です。したがって、$x = 2$ または $x = 3$が解です。

英語の文法質問
質問：現在完了形と過去形の違いは何ですか？

回答：現在完了形は、過去の出来事が現在の状況に影響を与える場合に使用されます。例: I have finished my homework. （宿題が終わりました）

　過去形は、特定の時点で完了した過去の出来事について述べる場合に使用されます。例: I finished my homework yesterday. （昨日宿題が終わりました）

歴史の質問
質問：フランス革命の主要な原因は何ですか？

回答：フランス革命の主要な原因は、貧困と不平等、啓蒙思想、財政危機、そして王権の弱体化です。貧困と不平等は、庶民階級の生活状況が厳しい一方で、貴族や聖職者が特権を享受していたことに起因します。啓蒙思想は、市民が自由と平等を求めるようになった背景にあります。財政危機は、国の借金が増加し、国民の税負担が重くなったことが原因です。王権の弱体化は、ルイ16世の統治能力の低さや、国政への市民の関与が高まったことが要因です。

生物・科学の質問

質問：光合成の基本的なプロセスを説明してください。

回答：光合成は、植物、藻類、および特定の細菌が光エネルギーを化学エネルギーに変換するプロセスです。この過程では、光エネルギーを利用して、二酸化炭素（CO_2）と水（H_2O）が糖（$C_6H_{12}O_6$）と酸素（O_2）に変換されます。光合成は以下の化学反応式で表すことができます。

$$6CO_2 + 12H_2O + 光エネルギー \rightarrow C_6H_{12}O_6 + 6O_2 + 6H_2O$$

　光合成は主に、光依存段階と光非依存段階（カルビンサイクル）の2つの段階で行われます。光依存段階では、光エネルギーが水分子を分解し、酸素と水素イオンを生成します。光非依存段階では、二酸化炭素が水素イオンと結合し、糖を生成します。

　このように様々な科目について答えることができます。また、答えだけを教えるのではなく、学習の支援としての役割を与えることも可能です。

4x＋y＝5　x＋y＝2

以上の連立方程式を解きたいと思います。私は中学生であり、この問題の解法を知りません。この問題の解き方を教えてください。

この連立方程式の解き方を説明します。この問題は２つの方程式が与えられているので、それらを同時に解く必要があります。このような問題を解くための一般的な方法は、「加減法」と「代入法」です。今回は加減法を使って解きましょう。

２つの方程式を見てください。

4x+y=5……①
x+y=2……②

まず、２つの方程式のxかyのどちらかの係数を同じにする必要がありますが、yがどちらも１なので、そのまま使います（仮にxの係数を同じにする場合は、②の式に４をかけてxの係数を揃えます）。

次に、２つの方程式を足し算または引き算して、yを消去します。今回は、②の方程式から①の方程式を引いてみます。

(x+y)－(4x+y)=2-5

式を展開して整理します。

x+y-4x-y=-3

-3x=-3

ここで、xについて解きます。

-3x=-3 を 3 で割って、

x=1

これでxの値が求まりました。次に、xの値をどちらかの方程式に代入して、yの値を求めます。2つ目の方程式に代入してみましょう。

x+y=2
1+y=2

yについて解くと、

y=2-1
y=1

これで、xとyの値が求まりました。
解はx=1 およびy=1 です。

たまに答えを間違えたりもするが、概ね正しいことを教えてくれる。ただし、良くも悪くも、正解までそのまま答えてくれてしまうため、解き方のプロセスを学ぶという点においては使い方が難しいかもしれない。子どもに教えるときなどは、その辺りの配慮をし、大人が確認しながら使う必要があるだろう。

⑦大学のレポートの補助

　ChatGPTは、大学のレポート作成をサポートするために役立つツールです。以下に具体例を挙げながら、その活用方法を説明します（**2023年4月現在、各大学ごとにChatGPTの使用に制限を設けたり、検討したりしている状況のため、使用する際は各大学のルールに沿って利用してください**）。

テーマ選び
　レポートのテーマを決定する際、ChatGPTに分野や興味に関する質問を投げかけることで、独自の視点や新たなアイデアを提案してもらうことができます。

背景調査
　テーマに関する歴史的背景や関連する概念を知りたい場合、ChatGPTに質問をすることで基本的な情報を得ることができます。ただし、正確性や最新性を確認するためには、追加のリサーチが必要です。

アウトライン作成
　レポートの構成やアウトラインについて助言を求めることができます。例えば、「経済成長と環境問題に関するレポートのアウトラインを提案してください」といった質問を投げかけることで、適切な構成案を提示してもらうことができます。

引用文献の提案
　ChatGPTに特定のテーマに関連する研究や文献の提案を求める

ことができます。ただし、提案された文献の信頼性や適切性を確認するためには、自分で調査を行う必要があります。

論点や議論の展開

レポートで取り上げる論点や、賛成・反対の意見についてChatGPTに尋ねることで、議論の幅を広げることができます。

文章の校正・改善

レポートの文章を改善したい場合、ChatGPTに原文を提示して修正案を求めることができます。この際、具体的な指示（例：より簡潔に、より柔らかい口調でなど）を伝えることで、適切な改善案を得られます。

これらの方法を活用することで、ChatGPTを大学のレポート作成の補助ツールとして利用することができます。ただし、ChatGPTの回答は必ずしも正確ではないため、信頼性や正確性を確認するために追加のリサーチが必要です。また、オリジナリティを重視する場合、ChatGPTの回答に頼らず、自分自身で独自の意見や分析を行うことが重要です。以下に、ChatGPTを大学のレポート作成の補助に活用する際の注意点を追加で挙げます。

クリティカルシンキングの練習

ChatGPTに対して、ある主張に対する反論や異なる視点を求めることで、自分のクリティカルシンキング能力を向上させることができます。

グループプロジェクトのコミュニケーション

チームでレポートを作成する際、ChatGPTを活用してアイデア

を共有したり、意見をまとめたりすることができます。ただし、AIの提案に過度に依存せず、チームメンバー同士のコミュニケーションを大切にすることが重要です。

プレゼンテーションの準備

　レポートに関連するプレゼンテーションを準備する際、ChatGPTにスライドの構成やデザイン、話すポイントについてのアドバイスを求めることができます。

時間管理

　締め切りに追われることがよくある大学のレポート作成ですが、ChatGPTを活用することで効率的に情報を収集し、時間を節約することができます。

　これらの方法を利用することで、大学のレポート作成においてChatGPTを有効に活用できます。ただし、ChatGPTはあくまで補助ツールであるため、自分自身のスキルや知識を向上させることを忘れずに取り組むことが望ましいです。

質問例　**アリストテレスの倫理思想について述べてください。**

アリストテレス（紀元前384年〜紀元前322年）は、古代ギリシャの哲学者であり、プラトンの弟子でした。彼は幅広い学問分野において多くの業績を残しましたが、倫理学においても重要な思想を提唱しています。アリストテレスの倫理思想は主に『ニコマコス倫理学』に記されており、彼の倫理学の中心概念は「幸福」（ユーカイモニア、eudaimonia）です。

目的論（テロス、telos）

アリストテレスは、すべての人間の行為には目的があり、その究極の目的は幸福であると考えました。彼によれば、幸福は人間の最高善であり、それを追求することが人間の目的とします。

徳（アレテー、arete）

アリストテレスは徳を、人間の潜在能力を最大限に発揮することで幸福を追求する上で重要な要素だと捉えました。彼は徳を「思慮の徳」と「性格の徳」の2つに分けて考えました。思慮の徳は知恵や理性に関わるものであり、性格の徳は個人の性格や行動に関わるものです。

中庸の徳（メソテース、mesotes）

アリストテレスは「中庸の徳」という概念を提唱しました。これは、徳が過剰と欠如の中間にあるべきだという考えです。例えば、勇気は臆病（欠如）と無謀（過剰）の中間にある徳であるとされます。中庸の徳は人々が適切な行動を取るための基準とされ、幸福の追求に役立つと考えられました。

実践知（プロネシス、phronesis）

アリストテレスは、徳を実践するためには実践知が必要だと考えました。実践知とは、目的に適した行動を選択し、実行する能力です。これにより、人は徳を実践し、幸福を追求することができるとされます。

友愛（フィリア、philia）

アリストテレスは友愛を倫理の重要な要素と捉えました。彼によれば、友愛は幸福の追求において重要な役割を果たします。友愛は互

いに利益を求めるだけでなく、お互いの徳の発展や成長を促す関係であるべきだとアリストテレスは考えました。彼は友愛を3つのタイプに分類しました。

利益に基づく友愛

両者が利益を得るために結ばれた友愛。利益がなくなると友愛も終わることが多い。

快楽に基づく友愛

お互いに楽しい時間を過ごすために結ばれた友愛。快楽がなくなると友愛も終わることが多い。

徳に基づく友愛

お互いの徳を尊重し、徳の発展を助け合う関係。最も高い形の友愛とされ、持続性があるとされる。

倫理的な習慣形成

アリストテレスは、徳を身につけるためには継続的な習慣形成が重要だと考えました。徳は単に理性的に理解するだけでなく、実践を通じて身につけるべきだと彼は説きました。そのため、人々は善行を繰り返すことで徳を自然に身につけ、幸福な人生を送ることができるとされました。

アリストテレスの倫理思想は、人間の幸福を追求する上で徳や友愛、習慣形成が重要であることを強調しました。彼の思想は古代ギリシャ哲学のみならず、後世の西洋哲学や倫理学にも大きな影響を与えました。

　これを丸写しするのではなく、着想に留め、各大学の規則に沿ってレポート作成の補助に使うこと。また、初期はなかなかできなかったようだが、今はChatGPTを使って書いた文章をChatGPT自身が自分で書いたものと判別できるように進化している。そもそも丸写しは倫理的にもNGだが、ChatGPTが自分で書いた文章を判定できるようであれば、丸写しはバレるリスクが高いのでやめたほうがいいだろう。

　本書執筆中にも、ChatGPTをはじめとした（特に文章生成AI）の活用に関して、禁止する大学もあれば、利用を前提に注意事項を表明する大学もあるなど、立場は様々だ。それぞれ自身が所属する場所のルールに沿って利用したい。

⑧AI同士で議論させてみる

　プロンプトの入力に注意して、賛成と反対の意見をそれぞれ取得し、まとめて表示することでディベートのような形にすることができます。

質問例 たこ焼きにタコを2つ入れるというアイデアについて、賛成／反対の立場から論拠を明示しつつ甲と乙に分かれて議論してください。最終的にディベートの勝者を決めてください。

回答

甲（賛成）：

　私は、タコを2つ入れるたこ焼きアイデアに賛成します。まず、タコを2つ入れることで、タコの食感と風味が強調され、より美味しくなると考えます。また、タコが2つ入っていることで、消費者にとって満足感が高まり、リピーターが増える可能性があります。さらに、他のたこ焼き店と差別化を図ることができ、集客力が向上するでしょう。

乙（反対）：

　私はタコを2つ入れるたこ焼きアイデアに反対します。タコを2つ入れることで、原材料費が増加し、コストアップにつながることが懸念されます。これが、たこ焼きの価格上昇につながり、消費者にとってはデメリットとなります。また、タコが2つ入ることで、たこ焼きのサイズが大きくなり、一口で食べにくくなる可能性もあります。これが、消費者の食べやすさを損なう可能性があります。

ディベートの勝者：

　このディベートでは、甲（賛成）の意見がより説得力があると判断します。タコを2つ入れることで、味や食感の向上、顧客満足度の向上、そして集客力向上のメリットが期待できます。ただし、コストアップや食べやすさに関する懸念に対処する必要があります。例えば、価格設定を適切に調整し、食べやすさを損なわない工夫を施すことで、このアイデアは成功する可能性が高まるでしょう。

　AIが両方の立場からの意見を提供した後、最終的にディベートの勝者を決めるのは、ユーザー自身が判断するか、上のようにAIに判断させることも可能です。ただし、AIの判断はあくまで参考程度に留めておくことが望ましいでしょう。

ChatGPTは、歴史のもしもに関するシナリオや仮定について答えることができます。ただし、結果はあくまで推測や仮説にすぎないことを理解しておくことが重要です。

例えば、「もしもアレキサンダー大王が若くに亡くならなかったらどうなっていたのか？」といった質問に対して、歴史的背景や関連する情報に基づいて推測を立てることができます。しかし、これはあくまで仮説であり、実際の歴史とは異なる可能性があることを念頭に置いてください。

もしもの歴史に関する質問をする際には、具体的なシナリオや条件を明確にすることが、より適切な回答を得るために役立ちます。

質問例1 もし明治維新が起きていなかったら、現在の日本の状況はどのようになっていましたか。

明治維新が起きていなかった場合、現在の日本の状況は大きく異なっていたでしょう。ただし、これはあくまで仮定にすぎないため、実際にどのような状況になっていたかはわかりません。以下は、明治維新が起きなかった場合の日本の可能性について述べたものです。

国際関係
明治維新を経て近代化が進まなければ、日本は西洋諸国の勢力圏に取り込まれる可能性が高まったでしょう。植民地化されるか、半植

民地的な立場に置かれていたかもしれません。

社会構造

幕藩体制が続いていた場合、身分制度や階級制度が根強く残り、現在のような平等な社会は形成されなかったかもしれません。武士階級が影響力を維持し、庶民の地位向上は限定的であったことでしょう。

経済

近代化が遅れることで、産業革命が進まず、日本経済は農業中心のまま続いていた可能性があります。これにより、現在のような経済大国にはなりにくく、国際競争力が低下していたでしょう。

文化

西洋の文化や技術の導入が遅れるため、日本独自の文化がより保たれる一方で、国際的な文化交流が少なくなっていた可能性があります。また、現代のようなポップカルチャーが発展しなかったかもしれません。

政治

天皇を中心とした中央集権制が成立せず、地方豪族や大名が各地で勢力を保持することで、国内統一が困難な状況が続いた可能性があります。

これらの要素を踏まえると、明治維新が起きていなかった場合の日本は、現在のような国際的な経済大国にはなりにくく、また、社会構造や文化も大きく異なっていたと考えられます。ただし、歴史は多くの要因が絡み合って進んでいくものであり、明治維新が起きな

かったとしても、他の要因や出来事によって日本が近代化や国際化の道を歩む可能性もあるため、結果には様々なバリエーションが考えられます。

例えば、幕末期に活躍した志士たちが別の形で国の近代化を推進する動きを見せたり、他国との外交や貿易を通じて西洋の技術や制度を導入することができたりした場合、日本は独自の形で近代化を達成していたかもしれません。

一方で、日本が近代化や西洋化に抵抗し続けることで、独自の文化や価値観を維持することができる一方、国際社会での影響力や競争力は低下していく可能性もあります。

加えて、日本が近代化や開国を遅らせることで、他のアジア諸国との関係が変わる可能性もあります。例えば、日本が中国や韓国との関係をより重視し、アジア地域での連携を強化する方向に進んだかもしれません。

最後に、歴史は予測できない出来事や偶然が大きな影響を与えることもあります。明治維新が起こらなかったとしても、他の未知の要因によって日本の歴史が大きく変わる可能性もあるため、未来を正確に予測することは困難です。

総じて、明治維新が起きていなかった場合の日本は、現在とは大きく異なる姿をしていたと考えられますが、様々な要因が影響し合うため、どのような状況になっていたかは確実には言えません。

質問例2　もし織田信長が明智光秀に暗殺されていなかったら、現在の日本はどうなっていましたか。

織田信長が明智光秀に暗殺されなかったと仮定した場合、日本の歴史が大きく変わる可能性があります。しかし、これはあくまで仮定

にすぎないため、実際にどのような状況になっていたかはわかりません。以下は、織田信長が暗殺されなかった場合の日本の歴史の可能性について述べたものです。

国内統一

信長が天下統一を目指して各地の戦国大名を征伐し続けることで、日本の統一がもっと早く達成される可能性があります。その場合、安土桃山時代や江戸時代の展開も異なる形で進むことでしょう。

戦国大名の権力均衡

信長が存命だった場合、豊臣秀吉や徳川家康の台頭が遅れるか、もしくはその地位や影響力が異なる形で展開する可能性があります。

政治制度

信長が国内統一を成し遂げた後、中央集権制の確立や政治制度の革新を行うかもしれません。その結果、後の日本の政治体制や社会構造に大きな影響を与えることが考えられます。

宗教政策

信長がキリスト教の布教を積極的に受け入れることで、日本の宗教を取り巻く状況が大きく変わる可能性があります。この場合、現在の日本の宗教観や文化にも影響が出ることでしょう。

対外関係

信長が日本の国内統一に成功した場合、海外との関係も異なる形で展開する可能性があります。例えば、日本が他のアジア諸国やヨーロッパ諸国との交流を積極的に行い、国際的な影響力を持つようになるかもしれません。

これらの要素を踏まえると、織田信長が明智光秀に暗殺されなかった場合の日本は、現在とは異なる歴史を辿っていたと考えられます。しかし、歴史は多くの要因が絡み合って進んでいくものであり、信長が暗殺されなかったとしても、他の要因や出来事によって日本の歴史が大きく変わる可能性もあるため、結果には様々なバリエーションが考えられます。

例えば、信長が存命だった場合でも、他の戦国大名や勢力が彼に対抗して台頭することが考えられます。この場合、日本の国内統一や政治制度の変化が予想外の形で進むことになるかもしれません。

また、信長が国内統一を達成した後の政策や外交によって、日本が近代化や国際化の道を歩むか、独自の文化や価値観を維持する方向に進むかも変わるでしょう。

さらに、歴史は予測できない出来事や偶然が大きな影響を与えることもあります。織田信長が明智光秀に暗殺されなかったとしても、他の未知の要因によって日本の歴史が大きく変わる可能性もあるため、未来を正確に予測することは困難です。

総じて、織田信長が明智光秀に暗殺されなかった場合の日本は、現在とは大きく異なる姿をしていたと考えられますが、様々な要因が影響し合うため、どのような状況になっていたかは確実には言えません。

⑩ レシピの考案

　あなたの好みや利用可能な食材に基づいて、独自のレシピや料理のアイデアを提案することができます。具体的な活用方法は以下の通りです。

食材の組み合わせ提案

　あなたが手持ちの食材を入力することで、ChatGPTはその食材を使ったレシピのアイデアを提案します。例えば、「アボカド、ツナ、トマトを使ったレシピを教えて」と入力すると、サラダやサンドイッチなどの提案が得られます。

料理スタイルやジャンルの提案

　あなたが特定の料理スタイルやジャンルに興味がある場合、その情報を入力することで、それに基づくレシピの提案を受け取ることができます。例えば、「イタリアンスタイルのシーフードパスタのレシピを教えて」と入力すると、具体的なレシピが提案されるでしょう。

栄養価やダイエットに対応したレシピ提案

　栄養価やダイエットに関する要件を伝えることで、対応したレシピの提案が得られます。例えば、「糖質制限中のため、低糖質のデザートレシピを教えて」と入力すると、適切なレシピが提案されます。

アレルギーや食材の制約に対応したレシピ提案

　アレルギーや特定の食材の制約がある場合も、ChatGPTにその

情報を伝えることで、制約に合ったレシピの提案が得られます。例えば、「グルテンフリーのパンケーキレシピを教えて」と入力するとよいでしょう。

料理の工程や手順のアドバイス

既存のレシピを改良したい場合や、料理の工程で困ったときもChatGPTに聞いてみましょう。例えば、「チキンカレーの味をもっと深みのあるものにする方法は？」と入力すると、スパイスの追加や調理法の変更など具体的なアドバイスが提供されます。

レシピのカスタマイズ

既存のレシピに自分の好みを反映させる方法をChatGPTに質問することで、新しいアイデアや提案を得られます。例えば、「ベジタリアン向けにビーフシチューのレシピをアレンジする方法は？」と入力すると、代替食材や調理法が提案されるでしょう。

調理器具やテクニックのアドバイス

調理器具やテクニックに関する質問も、ChatGPTに尋ねることができます。例えば、「圧力鍋で煮込み料理を作る際のポイントは？」と入力すると、適切な圧力や調理時間、具材の追加順序などのアドバイスが提供されます。

料理中の悩みや問題解決

料理中に問題が発生した場合や、改善点を見つけたい場合、ChatGPTに質問してアドバイスや解決策を得ることができます。例えば、「ケーキがいつも焼きムラがある原因は何でしょうか？」と入力すると、オーブンの温度設定や焼き時間の調整、ケーキ生地の混ぜ方などのアドバイスが得られます。

　これらの具体例を通じて、ChatGPTはあなたのレシピ考案や料理に関する様々な疑問や悩みに対応し、新たなアイデアや提案を行うことができます。これにより、あなたの料理の幅やスキルが広がり、より楽しい料理体験が実現されるでしょう。

質問例　**春っぽいカクテルのレシピを教えて下さい。甘さは控えめで酸味があるものでお願いします。**

春らしい酸味があり、甘さ控えめなカクテルとして、「シトラス・ゼスト」というレシピを提案します。

【シトラス・ゼスト】

材料
ジン：45ml
グレープフルーツジュース：60ml
ライムジュース：15ml
シンプルシロップ：5ml
ソーダ水：適量
氷：適量
グレープフルーツまたはオレンジの皮（ガーニッシュ用）

作り方
①カクテルシェーカーに氷を入れ、ジン、グレープフルーツジュース、ライムジュース、シンプルシロップを加えます。

②シェーカーをしっかり閉じ、カクテルをよく混ざるまでシェイク

141

します。

③氷を入れたグラスにシェイクしたカクテルを注ぎます。

④ソーダ水を加えて、軽い炭酸をつけます。

⑤グレープフルーツまたはオレンジの皮をねじって、グラスの縁に沿って香りを移し、カクテルに飾ります。

このシトラス・ゼストは、爽やかな酸味とほんのりとした甘さが春の訪れを感じさせるカクテルです。グレープフルーツとライムの酸味が特徴で、飲みやすく爽快な味わいが楽しめます。

コラム：ChatGPTで月10万円稼ぐ方法を聞いてみた。

　ChatGPTを利用して月10万円を稼ぐためのいくつかの方法をご紹介します。ただし、成功は個人のスキルや努力にも依存しますので、保証はできません。

フリーランスライティング

　ChatGPTを使って、クライアントのために記事やブログを執筆し、報酬を得ることができます。効率的に高品質なコンテンツを作成できるため、収入を増やすチャンスがあります。

コンテンツマーケティング

　ChatGPTを活用して、自分のウェブサイトやブログのコンテンツを作成・最適化し、広告収益やアフィリエイトマーケティングで収入を得ることができます。

ソーシャルメディアマネジメント

　ChatGPTを用いて、企業や個人のソーシャルメディアアカウントのコンテンツ作成や投稿スケジュールを管理し、料金を請求することができます。

仮想アシスタント

　ChatGPTの力を借りて、仮想アシスタントとして働くことができます。効率的なリサーチやドキュメント作成が求められるタスクに対して、ChatGPTを活用して高品質なサービスを提供することができます。

オンラインコースや情報商材の制作

　あなたの専門知識を活かして、ChatGPTを用いてオンラインコースや情報商材（電子書籍や動画など）を制作し、販売することで収入を得ることができます。

ChatGPTを活用したコンサルティング

　ChatGPTを使ってビジネス戦略やマーケティングのアイデアを提案し、クライアントから報酬を得ることができます。

　これらの方法の中から、自分のスキルや興味に合ったものを選び、効果的にChatGPTを活用して収入を増やすことができます。ただし、継続的な努力やビジネス戦略が重要であることを忘れずに取り組んでください。

　具体的には、ランサーズやクラウドワークスで記事作成の仕事を取ってきて、ChatGPTで出力するだけでも、月10万円は容易に稼げそうだ。

第4章
ChatGPTをさらに
使いこなす方法

第4章　ChatGPTをさらに使いこなす方法では、プラグインやブラウザ拡張機能を活用して、ChatGPTの利用範囲を広げる方法について解説します。

　プログラミング知識がない一般ユーザーでも簡単に導入できる拡張機能やプラグインを使うことで、ChatGPTの機能を最大限に引き出し、より多くのタスクに活用することができます。

　本章では、仕事や日常生活での具体的な使用例を交えて、さまざまな拡張機能やプラグインの紹介と、それらをどのように活用すれば効果的なのかを解説します。

　本章を読むことで、ChatGPTのさらなる可能性に気づき、その存在価値を実感できるようになるでしょう。自分自身の状況や目的に応じて、ChatGPTをより効果的に活用する方法を知っていきましょう。

ChatGPTで使える便利なプラグイン

プラグイン（拡張機能）とは？

　プラグインとは、コンピューターやインターネット上のソフトウェアやアプリケーションに追加機能を提供する小さなプログラムのことです。プラグインは、既存のソフトウェアやアプリケーションを拡張し、機能を追加または強化することで、ユーザー体験を向上させる役割を果たします。

　例えば、ウェブブラウザには、様々なプラグインが提供されています。これにより、ブラウザの機能を拡張して、特定のウェブサイトの表示速度を向上させたり、広告をブロックしたり、翻訳機能を追加したりすることができます。プラグインは、独立したアプリケーションではなく、既存のソフトウェアやアプリケーションと連携して動作します。

　プラグインの導入は通常、非常に簡単で、プラグインの公式ウェブサイトやアプリストアからダウンロードしてインストールするだけです。プラグインをインストールした後は、自動的に既存のソフトウェアやアプリケーションと連携し、機能が追加されます。これにより、ユーザーは自分のニーズに応じてカスタマイズされた機能を簡単に追加することができます。

　現在（2023年4月28日現在）のところ、OpenAIの公式サイトには「私たちは、ユーザーと開発者の両方にプラグインへのアクセス

を拡大しています。最初に、ChatGPT Plusを持っている一部のユーザーと開発者を優先的に対象とし、徐々に大規模なアクセスへと展開していく計画です」と記載されています。このように、ChatGPTのプラグインはすぐに利用できるわけではありませんが、今後プラグインの開発がさかんに行われ、広く使われるようになることは間違いないでしょう。

ChatGPT（OpenAI社）のプラグイン

OpenAI社のプラグインについて、以下の3つの事例を紹介します。

1. Expediaプラグイン

このプラグインは、旅行予約サービスの「Expedia」と連携し、ユーザーが簡単に旅行の予約ができるようにするものです。これにより、ChatGPTを使ってホテルや航空券の予約を簡単に行うことができます。

2. Slackプラグイン

メッセージアプリ「Slack」と連携するこのプラグインは、ユーザーがSlackのチャットルームでChatGPTを利用できるようにします。これにより、チーム内のコミュニケーションや情報共有が円滑になり、作業効率の向上が期待できます。

3. OpenTableプラグイン

レストラン情報サービスの「OpenTable」と連携するこのプラグインを使えば、ユーザーが簡単にレストランの予約ができるようになります。ChatGPTを使って、気になるレストランの空席状況を確認し、予約手続きを行うことができます。

　これらのプラグインを使うことで、ChatGPTの機能を拡張し、さまざまなサービスと連携して便利に利用することができます。適切なプラグインをインストールして、より充実したChatGPTの利用をお楽しみください。

プラグインの申請方法

　OpenAIのプラグインの使用するためには、waitlist に参加する必要があります。

　まずはOpen AIのサイトから、アクセスして必要事項を入力してください。

　申請すると「近日中に連絡する」と表示されます。

　Open AIの公式サイトでは、プラグインの使い方が動画で説明されています。プラグインの使用が許可されると、下記のような仕様

になるようです。

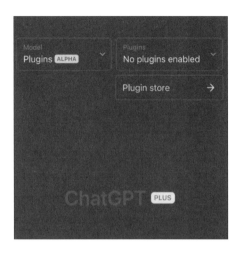

Google Chromeの拡張機能と連携させる

　ここではGoogle Chromeの拡張機能をChatGPTと組み合わせて使うことで、ChatGPTをさらに快適に使いこなす方法を紹介します。これにより、あなたのニーズや好みに合わせて、ChatGPTの利用範囲を広げることができるでしょう。

1. ChatGPT for Google

　ChatGPTからの回答を検索エンジンの結果と共に表示するブラウザ拡張機能です。ChatGPTで得られる回答は、2021年9月までの情報に基づくため、それ以降の情報やリアルタイムの情報について知りたい場合はうまく機能しません。また検索エンジンと組み合わせて使うことで、複数ソースの確認を同時に行えます。

追加する手順は以下の通りです。

①「chromeウェブストア」の拡張機能から「ChatGPT for Google」
　を追加（ここで紹介する拡張機能の追加方法は全て同じです）。

②その状態でGoogle検索を行うと、画面右横にChatGPTの回答が
　自動で表示されるようになります。

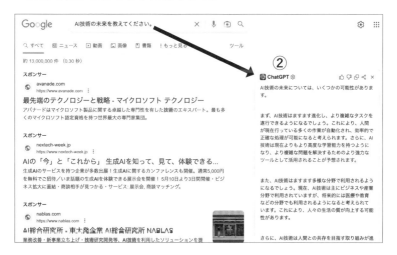

2. webChatGPT

　Webから関連する結果を使用して、ChatGPTのプロンプトを拡
張するプラグインです。この拡張機能は、関連する Web 結果を

ChatGPTへのプロンプトに追加して、より正確で最新の会話を実現します。検索結果を取得し、任意のURLからWebページのテキストを抽出します。

　追加方法はChatGPT for Googleと同様です。WebChatGPTをONにすると、メッセージ入力画面の下に「Web access」などのワードが並んだ仕様になります。あとはいつも通りプロンプトを入力すれば、ウェブの検索結果を踏まえた回答を生成してくれます。

WebChatGPTがオンの状態のプロンプトの入力画面

3. YouTube Summary with ChatGPT

　YouTube Summary with ChatGPTとは、視聴しているYouTube動画の要約にOpenAIのChatGPT AI技術を使用して素早くアクセスできます。この拡張機能を使用して、時間を節約し、素早く学習できます。また、YouTubeで動画を閲覧する際に、動画のサムネイルにある要約ボタンをクリックすることで、動画の要約を素早く表示してアクセスできます。

　この方法では、ChatGPTが動画のトランスクリプト（文字起こし）やキーポイントに基づいて、その内容を簡潔かつ明確に要約し、閲覧者が素早く動画の内容を把握することができます。また、質問への回答や情報提供などの機能も含まれているため、インタラクティブな体験も提供できます。

　具体的な使い方を紹介します。まず①「ChatGPT for Google」と同じように「chromeウェブストア」の拡張機能から「YouTube Summary with ChatGPT」を追加します。

②YouTubeの動画再生画面の右上に「Transcript & Summary」というボタンが表示されます。要約を作成したい動画の再生画面で、ボタンをクリックしましょう。

すると、次のように動画の音声を自動で文字起こししてくれますので、③同じところにあるChatGPTのアイコンをクリックするだけで④自動的にChatGPTのページに飛び、要点をまとめてくれます。

このように要約してくれます。

- The video is about using the "YouTube Summary with Chat GBD" Chrome extension.
- The extension allows users to view older transcripts of YouTube videos.
- Users can also use the extension to generate a summary of the video's transcript.
- The extension supports transcripts in multiple languages.
- Users can copy the transcript and title to other note-taking applications such as Notion.

（あとは日本語で読みたい場合は「日本語に訳して」と入力すれば
OKです）

4. YouTubeDigest

　3のYouTube Summary with ChatGPTとほぼ同じですが、こち
らはYouTubeの画面上でダイジェストを作ってくれる拡張機能で
す。この機能を使うことで、長い動画を時間短縮して効率よく視聴

することができます。設定で要約結果を記事風や箇条書きにするなどの選択ができるほか、表示言語で日本語を選択可能であり、PDF、テキストデータ、Word形式で出力することもできます。また、この拡張機能はChatGPTと連携し、要約を日本語でも表示することができます。

5. Voice Controll for ChatGPT

このChrome拡張機能は、ChatGPTと音声で会話できるようになります。入力欄の下にボタンが追加され、自分の声を録音してChatGPTに質問を送信することができます。返答は音声で読み上げることもできます。

画像生成AIについて

画像生成AIとは？

　画像生成AIは、機械学習やディープラーニングの技術を活用して、新たな画像やアートワークを生成する技術のことを指します。ここ数年で急速に発展しており、特に敵対的生成ネットワーク（GAN：Generative Adversarial Network／2014年にイアン・グッドフェローによって提案されたディープラーニングの一種で、生成モデルの学習手法）の登場によって、画像生成AIは飛躍的に進化しました。

　GANは、生成器と識別器の2つのモデルを組み合わせて学習します。生成器は、ランダムなノイズから画像やテキストなどのデータを生成することができます。一方の識別器は、与えられたデータが本物のデータであるか、それとも生成器によって生成されたデータであるかを判別することができます。またGANは、生成器が生成するデータが識別器によって本物のデータと区別できないように学習します。つまり、生成器は、本物のデータに非常に近いデータを生成するように調整されます。これにより、GANは、非常にリアルな画像や音声、文章などを生成することができます。

　GANは、画像生成、音声合成、文章生成などの分野で広く使用されています。また、GANを用いた研究によって、GANが生成するデータがリアルなものであるかどうかを判別する手法も開発されています。

以下に画像生成AIのいくつかの最新の具体例を挙げます。

主要な画像生成AI

1. DALL-E

OpenAIが開発した画像生成AIで、自然言語の説明に基づいて画像を生成することができます。例えば、「ピンク色のユニコーンが虹を飛び越える」といった説明を与えると、それに応じた画像を生成します。

「Draw a Gogh-style self-portrait.（ゴッホスタイルで自画像を描いて）」というプロンプトで完成したイラストの例

2. Stable Diffusion

Stable Diffusionとは、画像生成AIの一つで、ユーザーが作成したい画像のイメージ（例えば、アマゾンのジャングルや高層ビルが立ち並ぶ都会など）を英単語で区切って入力することで、様々な画像を作成できます。これらの画像生成系AIに共通するのは、プロンプトを入力することで、高解像度のグラフィックが生成されることです。また、Stable Diffusionを使って実際に画像生成を体験することで、思ったように画像が生成できなかったり、逆に思いもかけ

ない素晴らしい作品が生まれたり、クリエイティブな作業ができます。

「Draw a Picasso-style self-portrait.（ピカソスタイルで自画像を描いて）」というプロンプトで完成したイラストの例

3. Midjourney

Midjourneyは、入力した文字だけで画像を生成できるAIツールです。画像イメージをテキスト情報で入力することで、AIがそのテキスト情報にあった画像を自動生成します。

Midjourneyで描いた猫と女性のイラスト

ここで紹介した3つの画像生成AIはテキスト情報から画像を自動

生成する点で共通しています。

　ただし、画像生成AIについては賛否両論が存在します。例えば、「AIによる成果物の権利はだれに属するのか」という議論がさまざまなところで行われており、AIが作成した画像はあくまでコラージュ作品だという反対意見もあります。

　これらの具体例からわかるように、画像生成AIはクリエイティブな分野やビジネスへの活用が期待されており、今後さらなる進化が続くと考えられます。ただし、著作権や倫理的な問題も懸念されるため、適切なルールやガイドラインの整備が求められています。

コラム：Chat GPTに聞く人生で大切なこと10選

人生で大切なことは人それぞれ異なりますが、一般的に重要とされる要素を10個挙げてみました。

1. 健康

身体的、精神的な健康を維持することは、幸せな人生を送る上で基本となります。適度な運動や栄養バランスの良い食事、十分な睡眠を心がけましょう。

2. 愛情

友情、家族、恋愛など、人間関係における愛情は、人生の喜びを大きく左右します。愛情を大切にし、相手に対する思いやりや感謝を忘れずに過ごしましょう。

3. コミュニケーション

他人と円滑にコミュニケーションをとる能力は、人間関係を築く上で重要です。相手の意見を尊重し、自分の考えや感情を適切に伝えることを心がけましょう。

4. 学び

人生を通じて学ぶことは、自己成長や適応能力の向上につながります。好奇心を持ち、新しい知識やスキルを積極的に学んでいくことが大切です。

5. 目標設定

　自分の目指すべき目標を明確にすることで、人生における方向性や意義を見出すことができます。目標を設定し、それに向かって努力し続けることが重要です。

6. 自己受容

　自分自身の強みや弱みを受け入れ、自分を大切にすることが、自信や幸福感を高める上で重要です。自分を否定せず、自己肯定感を高めることを心がけましょう。

7. 時間管理

　効果的な時間管理を行うことで、人生の質を向上させることができます。優先順位をつけ、計画的に時間を使っていくことが大切です。

8. 責任感

　自分の行動や選択に対する責任を持つことは、信頼関係を築く上で重要です。他人に迷惑をかけないよう、責任感を持って行動しましょう。

9. 人間関係

　人間関係は人生の質を大きく左右します。相手を理解し、支え合い、協力することで、より良い人間関係を築くことができます。建設的な人間関係を大切にしましょう。

10. 人生のバランス

　仕事や学業とプライベートのバランスを保つことは、ストレスを軽減し、満足感を高める上で重要です。自分にとっての適切なバラ

ンスを見つけ、リフレッシュする時間も大切にしましょう。

　これらの要素は、人生を豊かで幸せなものにするために役立ちます。それぞれの価値観や状況に応じて、大切だと感じる要素を取り入れていくことが、充実した人生を送るための一助となります。

　特に何の面白みもない解答だが、挙げられた10のことが人生において大切であることに異論を挟む人はあまりいないのではないだろうか。とはいえ、大体AIが出す答えというのは、多くの答えの平均値なので、意外性は皆無と言っていい。

第5章

ChatGPT の
技術的な背景と
未来

What is ChatGPT ?

Hi
I'm ChatGPT

本章では、ChatGPTがどのような技術に基づいて機能している
のか、その根底にあるアイデアや原理をわかりやすく解説します。
まず、トランスフォーマーアーキテクチャについて、その独特な構
造や自然言語処理における画期的な性能を生み出す要因を詳しく説
明します。

　次に、大規模な学習データセットについて触れ、ChatGPTが多
様な知識や会話のパターンを身につけることができる理由を解説し
ます。そして、ファインチューニングという技術を用いて、どのよ
うにしてChatGPTを特定のアプリケーションや用途に適応させる
ことができるのかについても説明します。

　最後に、ChatGPTの将来の展望を考察し、技術の進化がどのよ
うにしてさらなる機能向上や新たな応用分野を生み出す可能性があ
るのかを検討します。さらに、AI技術が社会にもたらす影響につ
いても触れ、倫理的な問題やプライバシーの懸念、そしてAIが人々
の生活や働き方にどのような変化をもたらすかなど、様々な観点か
ら展望を示します。この章を読むことで、読者はChatGPTの技術
的側面を理解し、その将来の可能性や社会へのインパクトについて
も考えることができるでしょう。

トランスフォーマー
アーキテクチャ

トランスフォーマーアーキテクチャは、自然言語処理（NLP）や機械学習分野で広く使用されているモデルです。2017年にコンピューター科学者のアシシュ・ヴァスワニらによって提案され、従来のリカレントニューラルネットワーク（RNN）や畳み込みニューラルネットワーク（CNN）を置き換えることで、大規模なデータセットにおいて非常に高い性能を発揮します。以下に、トランスフォーマーアーキテクチャの主要な要素と具体例をご紹介します。

セルフアテンション機構

セルフアテンションは、文中の各単語が他の単語とどの程度関連しているかを計算するメカニズムです。これにより、文中の単語間の依存関係や文脈を捉えることができます。

具体例

「彼女は店に行って、リンゴを買った」という文章の中で、「買った」が「彼女」と「リンゴ」に関連していることをセルフアテンション機構が把握します。

ポジショナルエンコーディング

トランスフォーマーは、単語の順序情報が喪失しないように、ポジショナルエンコーディング（テキストや画像などデータの各要素の位置情報を一意の数字の組み合わせで表現する方法のこと）を使用して各単語に位置情報を付与します。

具体例

「彼女はリンゴを買った」と「リンゴを彼女は買った」のような異なる単語の順序に対応できるよう、ポジショナルエンコーディングが単語の位置情報を付与します。

エンコーダーとデコーダー

　トランスフォーマーは、エンコーダーとデコーダーの2つの部分から構成されています。エンコーダーは、入力文を処理して固定長のベクトル表現に変換します。デコーダーは、そのベクトル表現を基に、タスクに応じた出力（翻訳や要約など）を生成します。

具体例

　機械翻訳タスクでは、英語の入力文（エンコーダーで処理される）が、対応する日本語の文（デコーダーが生成する）に変換されます。

マルチヘッドアテンション

　マルチヘッドアテンションは、トランスフォーマーアーキテクチャの重要な部分で、複数の独立したセルフアテンションヘッドを使用して情報を処理します。これにより、モデルは異なる表現空間での単語間の関連性を同時に捉えることができます。

具体例

「彼女は店に行って、リンゴを買った」という文章において、マルチヘッドアテンションは、「彼女」と「リンゴ」の関係性を一つのヘッドで、「行って」と「買った」の関係性を別のヘッドで捉えることができます。

層の重ね合わせ（スタッキング）

　トランスフォーマーアーキテクチャは、複数のエンコーダー層とデコーダー層を重ね合わせることで、より深い表現を学習します。層が多いほど、モデルはより複雑なパターンや構造を捉えることができますが、計算負荷も増加します。

具体例

　BERTやGPTなどの大規模なトランスフォーマーモデルは、数十層からなるエンコーダーやデコーダーを持ち、豊富な知識を獲得し、複雑なタスクを実行できます。

トランスフォーマーアーキテクチャを利用した主なモデル例

BERT (Bidirectional Encoder Representations from Transformers)

　自然言語理解タスクに強力な性能を発揮し、多くのタスクでファインチューニングが可能です。

GPT (Generative Pre-trained Transformer)

　文章生成タスクに優れた性能を発揮し、このチャットボットにも使われています。GPTシリーズは、GPT-2、GPT-3、そしてGPT-3.5をベースにしたChatGPT、最新のGPT-4があります。

T5 (Text-to-Text Transfer Transformer)

　様々なタスクを統一的に解決することを目的に設計されたモデルで、入力と出力をテキストに統一して処理します。

　これらのモデルは、機械翻訳、質問応答、要約、文章生成など、多くのNLPタスクに対応できます。トランスフォーマーアーキテクチャの効果的な利用により、自然言語処理技術は飛躍的に進化し、より高い性能を達成しています。また、トランスフォーマーはNLP分野に留まらず、画像認識や強化学習など他の機械学習タスクにも適用されています。

　最近のトレンドとして、トランスフォーマーのアーキテクチャを効率的に改善する試みが注目されています。例えば、以下のようなものがあります。

より効率的なアテンション機構

　トランスフォーマーは、長いシーケンスの処理において計算負荷が高くなる問題があります。そのため、より効率的なアテンション機構を持つモデルが提案されています。例えば、LinformerやLongformerがその一例です。

軽量化モデル

　大規模なトランスフォーマーモデルは、多くのリソースを必要とするため、軽量化されたモデルが開発されています。例えば、DistilBERTは、BERTの性能を維持しながらモデルサイズと計算負荷を削減したものです。

ハイブリッドアプローチ

　トランスフォーマーと他のアーキテクチャ（例えば、CNNやRNN）を組み合わせることで、特定のタスクに対して効果的なモデルを構築する試みもあります。

　これらの取り組みにより、トランスフォーマーアーキテクチャは、機械学習や自然言語処理分野で引き続き活躍が期待されており、今後も研究開発が進められていくと予想されます。

大規模な学習データセット

　大規模な学習データセットは、機械学習モデルの訓練に使用され、特に深層学習モデルの性能を向上させる上で重要です。以下に、いくつかの分野別の大規模な学習データセットについて具体例を挙げて説明します。

自然言語処理（NLP）

Wikipedia：ウィキペディアは、多言語で大量のテキストデータが揃っており、BERTやGPTなどの事前学習に使用されます。

Common Crawl：ウェブページ全体からテキストを収集した、数百テラバイト規模の巨大なデータセットです。事前学習やテキストマイニングに用いられます。

SQuAD（Stanford Question Answering Dataset）：10万を超える質問-回答ペアが含まれるデータセットで、質問応答システムの訓練に使用されます。

画像認識

ImageNet：1400万枚以上の画像が含まれ、1000カテゴリーに分類されています。これは、画像分類タスクや物体検出タスクに使用されることが多いです。

COCO（Common Objects in Context）：物体検出、セグメンテーション、キャプション生成などのタスクに使用される、約33万枚の画像を含むデータセットです。

音声認識

LibriSpeech：英語の朗読音声データセットで、約1000時間分の音声が含まれています。音声認識モデルの訓練に使用されます。

Common Voice：Mozillaが提供する多言語の音声データセットで、コミュニティによって寄付された音声データが収録されています。

機械翻訳

WMT（Workshop on Machine Translation）：多言語の並列コーパスが含まれており、機械翻訳モデルの訓練に使用されます。

OpenSubtitles：映画やドラマの字幕から収集された多言語の並列コーパスで、機械翻訳や対話システムの訓練に利用されます。

　これらの大規模データセットを用いることで、機械学習モデルは複雑なタスクを達成できるようになります。データセットが大規模であるほど、モデルはより多様なデータに対応でき、一般化能力が向上します。しかし、大規模データセットを扱う際には、計算リソースやデータプライバシー、倫理的な問題にも注意を払う必要があります。

強化学習

OpenAI Gym：OpenAIが提供する強化学習環境のコレクションで、倒立振子やロボットアーム制御、Atariゲームなどの様々なタスクが含まれています。

DeepMind Lab：DeepMindが提供する3D環境で、エージェントがナビゲーションやパズル解決などのタスクを学習することができ

ます。

その他のデータセット

Kaggle Competitions：機械学習コンペティションサイトである
Kaggleでは、様々な分野やタスクのデータセットが公開されてお
り、モデルの性能評価やアルゴリズムの比較に使用されます。

UCI Machine Learning Repository：カリフォルニア大学アーバ
イン校が提供する機械学習データセットのリポジトリで、分類や回
帰、クラスタリングなど様々なタスクに適用できるデータが揃って
います。

　大規模な学習データセットを用いて訓練されたモデルは、新しい
データや未知のタスクにも適応できることが多く、リアルワールド
の問題に対処する能力が高まります。ただし、バイアスが含まれて
いるデータセットを使用すると、モデルもそのバイアスを学習して
しまうことがあるため、データセットの質や公平性にも注意を払う
必要があります。

ファインチューニングと アプリケーションへの適用

　ファインチューニングとは、事前学習済みのモデル（例：BERT、GPT、ResNetなど）を、特定のタスクに対して最適化するプロセスです。大規模なデータセットで学習したモデルは一般的な知識を持っていますが、特定のアプリケーションやドメインに適応させるためには、そのタスクに関連するデータでモデルを調整する必要があります。

　具体的な手順は以下の通りです。

事前学習済みモデルを選択

　自然言語処理の場合はBERTやGPT、画像認識の場合はResNetやMobileNetなど、タスクに適した事前学習済みモデルを選びます。

タスク固有のデータセットを用意

　アプリケーションに関連するデータセットを集めます。例えば、感情分析タスクの場合は、テキストとそれに対応する感情ラベル（ポジティブ、ネガティブなど）が必要です。

モデルの出力層をカスタマイズ

　事前学習済みモデルの出力層を、特定のタスクに適した形式に変更します。

ファインチューニング

　タスク固有のデータセットを使って、モデルの重みを更新しま

す。学習率は通常、事前学習時よりも小さな値が選ばれます。また、学習回数は少なく設定することが一般的です。

モデルの評価とアプリケーションへの適用

テストデータでモデルの性能を評価し、問題なければアプリケーションに組み込みます。

具体的なアプリケーション例

1. 感情分析

事前学習済みのBERTモデルを、映画レビューや商品レビューの感情分析タスクにファインチューニングして適用します。

2. 画像分類

事前学習済みのResNetモデルを、病気の診断や植物の種類判別などの画像分類タスクにファインチューニングして適用します。

3. 機械翻訳

事前学習済みのTransformerモデルを、特定の言語ペア（例：英語-日本語）の翻訳タスクにファインチューニングして適用します。

4. 顔認識

事前学習済みのMobileNetモデルを、顔認識や顔検出タスクにファインチューニングして、セキュリティシステムやスマートフォンの顔認証機能に適用します。

5. 文書要約

事前学習済みのGPTモデルを、文書要約タスクにファインチュー

ニングし、ニュース記事やレポートの自動要約システムに適用します。

6. チャットボット

事前学習済みのGPTモデルを、特定のドメイン（例：カスタマーサポート）に関する会話データでファインチューニングし、チャットボットや自動応答システムに適用します。

ファインチューニングによって、事前学習済みモデルは特定のタスクやドメインに適応し、高い性能を発揮することができます。また、ファインチューニングは通常、ゼロからモデルを学習するよりも短時間で済むため、効率的にアプリケーションを開発することが可能です。ただし、ファインチューニングには十分なタスク固有のデータが必要であり、また、過学習やバイアスの問題にも注意を払う必要があります。

データセキュリティと
プライバシー保護

　ChatGPTは、自然言語処理のための大規模なデータセットを用いて訓練されています。モデルがユーザーとの対話を通じて生成するレスポンスには、ユーザーのデータやプライバシーを保護するための注意が払われています。以下に、データセキュリティとプライバシー保護に関して、ChatGPTを運営するOpenAIが掲げているいくつかの要点を紹介します。

データの匿名化

　訓練データセットに含まれる個人情報や機密情報を匿名化することで、モデルがそのような情報を学習しないようにします。これにより、モデルが意図しない情報を漏らすリスクを軽減できます。

データの選別

　訓練データセットを選ぶ際には、信頼性が高く、プライバシーに配慮されたデータを使用することが重要です。また、データのバイアスや品質に注意を払い、不適切なコンテンツを避けるようにします。

データ保持ポリシー

　ユーザーとの対話データは、プライバシー保護のために一定期間後に削除されることが一般的です。データ保持期間は、法令や規制に従って決定されます。

モデルの改善

　適切なデータフィルタリングやモデルのアーキテクチャ改善を通じて、モデルが個人情報や機密情報を生成しないように工夫します。また、モデルが不適切なコンテンツを生成することを防ぐための取り組みも重要です。

ユーザーのコントロール

　ユーザーには、自分のデータを管理し、プライバシー設定を調整する機能が提供されるべきです。これにより、ユーザーは自分のデータやプライバシーに関する選択を行うことができます（2023年4月25日にチャット履歴をオフにできる機能が追加された）。

法令や規制の遵守

　データセキュリティやプライバシー保護に関して各地域で施行されている法令（例：GDPR＝EU［欧州連合］、CCPA＝米・カルフォルニア州など）や業界のベストプラクティスに従って、適切な対策を講じます。

　ChatGPTの開発者は、データセキュリティとプライバシー保護について継続的に改善を図ることが重要です。技術的な進歩や新たなアプローチによって、モデルの安全性やプライバシー保護が向上し、ユーザーにより安心して利用できるサービスが提供されることが期待されます。

セキュリティ対策

　データの転送やストレージにおいて、暗号化技術を用いることで、データの漏洩や改ざんを防ぐことができます。また、アクセス制御やログ監視などのセキュリティ対策を実施し、システム全体のセキュリティを維持します。

ユーザー教育

　ユーザーがプライバシー保護のためのベストプラクティスを理解し、適切に実践できるように、情報提供や教育を行います。これにより、ユーザー自身が自分のデータを守ることができます。

モデルの透明性

　モデルの学習方法や設計原則、性能評価に関する情報を公開することで、ユーザーや研究者がモデルの安全性やプライバシー保護について評価できるようにします。これは、技術的な信頼性を築く上で重要な要素です。

監視と改善

　モデルの性能やデータセキュリティ、プライバシー保護に関する問題に対して、継続的な監視と改善を行います。これにより、新たなリスクや脅威に対応し、ユーザーに安全なサービスを提供し続けることができます。

　これらの取り組みを通じて、ChatGPTはデータセキュリティとプライバシー保護を重視しながら、ユーザーに価値あるインサイトや情報を提供することを目指しています。

ChatGPTモデルの限界と倫理的懸念

　ChatGPTモデルの限界と倫理的懸念にはいくつかの重要な側面があります。第1章の内容を重なる点もありますが、重要なことなので繰り返します。

データの偏りとバイアス

　インターネット上の大量のテキストデータから学習しているため、そのデータに含まれるバイアスや偏りがモデルに反映される可能性があります。これにより、ステレオタイプや差別的な言説を生成することがあります。

不正確な情報

　知識の範囲が限定されており、特に2021年以降の情報については不正確な回答を提供する可能性があります。また、モデルは事実とデマを区別する能力が不十分であるため、間違った情報や誤解を招く回答を生成することがあります。

悪意ある使用

　悪意のあるユーザーによってデマの拡散や悪質なコンテンツの生成に利用されるリスクがあります。これにより、社会に悪影響を及ぼす可能性があります。

個人情報の漏洩

　学習データに含まれる個人情報を含む回答を生成する可能性があります。これにより、プライバシーの侵害や個人情報の漏洩が発生

する恐れがあります。

意図しない応答

　時には不適切、攻撃的、または倫理的に問題のある回答を生成する可能性があります。これは、モデルの理解力や倫理観の限界に起因する場合があります。

　対策として、モデルの開発者はデータのバイアスや不正確さに対処し、モデルを改善するための努力を続けています。また、モデルの利用においては、倫理的なガイドラインや規制が適切に策定され、遵守されることが重要です。

ChatGPTの将来展望

ChatGPTの将来展望については、以下のような具体的な回答が得られました。

モデルの改善

研究者や開発者は、より正確で理解力のあるモデルを作成するために、学習データの質を向上させ、アーキテクチャの最適化を図ります。また、バイアスや偏りの軽減に取り組み、モデルが公平で倫理的な回答を生成できるように努力します。

多言語対応

ChatGPTは、さらに多くの言語への対応が進められることが予想されます。これにより、世界中の多様なユーザーがアクセスできるようになり、言語の壁を越えたコミュニケーションが実現されるでしょう。

カスタマイズと個別対応

ユーザーのニーズや文脈に応じたカスタマイズが容易になることで、個々のユーザーにより適切な情報やサポートが提供されるようになります。例えば、企業が独自のドメイン知識を持つChatGPTモデルを構築することで、効果的なカスタマーサポートを提供できるようになるでしょう。

より高度なタスクへの適用

ChatGPTは、より高度なタスクに対応できるようになります。例えば、複雑な問題解決、プログラミングのサポート、創造的なコ

ンテンツ生成などの分野で、人間と協力して効率的に作業が進められることが期待されます。

AIと人間の協働

ChatGPTの進化により、人間とAIが協働する形で働くことが一般的になります。AIは情報検索や推薦システム、サポート業務などを担当し、人間はより高度な判断や創造的な仕事に集中できるようになるでしょう。

倫理と規制

AI技術の発展に伴い、倫理的懸念やプライバシー問題に対処するための規制やガイドラインが整備されることが期待されます。これによって、AI技術の適切な利用やデータの取り扱い、プライバシー保護が確保され、技術の利点を享受しつつリスクを最小限に抑えることが可能となるでしょう。

教育とトレーニング

ChatGPTの進化により、教育やトレーニング分野での活用が増えることが予想されます。個々の学習者に合わせてカスタマイズされた教材やフィードバックを提供することで、効果的な学習環境が実現するでしょう。

ヘルスケア分野への応用

ChatGPTは、ヘルスケア分野での支援にも活用されることが期待されます。例えば、病気の診断や治療法の提案、患者と医療従事者とのコミュニケーションをサポートすることで、医療の質の向上に貢献する可能性があります。

エンターテインメント

　ChatGPTは、エンターテインメント業界においても活用される
でしょう。例えば、インタラクティブなストーリーテリング、映画
やゲームのシナリオ生成、音楽やアートの創作など、多様なクリエ
イティブ分野で応用が期待されます。

　これらの展望は、ChatGPTのさらなる進化と発展が、私たちの
生活や仕事において様々な分野で役立つ可能性を示しています。た
だし、技術の利点を享受する一方で、倫理的懸念やセキュリティ問
題にも注意を払い、適切な規制やガイドラインを遵守することが重
要です。

AI技術の社会的影響

　AI技術の社会的影響には、ポジティブな側面とネガティブな側面の両方が存在します。以下に、具体的な影響をいくつか挙げます。

ポジティブな影響

1. 効率性の向上

　AI技術は、多くの業務やタスクにおいて効率性を向上させることができます。これにより、企業はコスト削減や生産性の向上を図ることができ、競争力を高めることが可能です。

2. 新しい雇用機会

　AI技術の発展は、新しい技術分野や職種の創出を促し、新たな雇用機会が生まれることが期待されます。例えば、AIエンジニア、データサイエンティスト、エシカルAIコンサルタントなどの職種が登場しています。

3. より良い意思決定

　AI技術は、データ分析や予測モデルの構築を支援することで、より正確かつ効率的な意思決定を可能にします。これにより、企業や政府は、最適な戦略や方針を策定することができるでしょう。

4. 医療や教育の向上

　AI技術は、医療や教育分野においても大きな影響を与えています。診断の正確性の向上や個別化された教育プログラムの提供など、さまざまな応用方法が期待されています。

5. アクセシビリティの向上

　AI技術は、障害者や高齢者に対する支援を提供することで、より包括的でアクセシブルな社会を実現する可能性があります。例えば、音声認識や画像認識技術が、視覚や聴覚障害者の生活の質を向上させることができます。

ネガティブな影響

1. 雇用の喪失

　AI技術が自動化された業務を担当することで、一部の労働者が職を失う可能性があります。特に、繰り返しの多い単純作業が対象となることが予想されます。

2. デジタル格差

　AI技術へのアクセスや利用における格差が拡大することで、デジタル格差が深刻化する可能性があります。技術にアクセスできない人々やコミュニティは、情報やサービスに対する不平等が生じるリスクがあります。

3. プライバシーと個人情報の保護

　AI技術が大量のデータを収集・分析することで、プライバシーや個人情報の保護が懸念されます。データの不適切な取り扱いやセキュリティリスクが、個人の権利や自由を侵害する可能性があります。

4. バイアスと差別

　AI技術は、学習データのバイアスや偏りを引き継いでしまうこ

とがあります。その結果、AIシステムが差別的な意思決定や予測を行うことがあり、特定の集団に対する不利益をもたらす恐れがあります。

5. AIの悪用

　AI技術が悪意ある目的で悪用されるリスクがあります。例えば、ディープフェイク技術や自動生成された偽情報が、社会的な混乱や個人の名誉を傷つける可能性があります。

　これらのポジティブな影響とネガティブな影響を考慮することで、AI技術の適切な利用や規制が求められます。倫理的なガイドラインや法的な規制を整備し、技術の恩恵を享受しつつ、潜在的なリスクを最小限に抑えることが重要です。また、教育や再訓練プログラムを通じて、労働者が新しい技術や職種に適応できるよう支援することも、社会全体の持続可能な発展に寄与します。

あとがき

　本書『ChatGPTの衝撃』を通じて、読者の皆様はChatGPTがもたらす革新的な技術やその潜在的な影響について理解を深めたことでしょう。この技術が私たちの生活や働き方をどのように変革していくのか、そしてChatGPTがもたらすポジティブな側面とネガティブな側面について考察しました。

　ChatGPTは、未来のコミュニケーション手段として多くの可能性を秘めていますが、同時に倫理的な懸念や社会的影響にも注意を払う必要があります。本書が、読者の皆様にAI技術の持続可能な発展に向けた議論のきっかけとなることを願っています。

　私たちにはこれからも、技術の発展とともに新たな課題が浮かび上がるでしょう。ChatGPTの進化がどのような未来を創り出すのか、その行方を見守るとともに、倫理的な視点や法的な規制を整備し、技術の恩恵を享受しつつ、潜在的なリスクを最小限に抑えることが重要です。

　最後になりましたが、本書『ChatGPTの衝撃』を手に取っていただいたすべての読者に感謝申し上げます。この一冊が、皆様のAI技術に対する理解を深めるだけでなく、今後の社会における技術活用や倫理的な議論に貢献することを心から願っております。今後も、ChatGPTやその他のAI技術の発展を共に見守り、その成果を分かち合いながら、より良い未来を築いていきましょう。

おわりに

　AIの技術は人間の能力の差を埋めてくれる。本書を作ってみて改めてその思いを強くした。この技術から私たちが得られるものは非常に大きく、できることの範囲を広げてくれることは間違いない。

　しかし一方で、今後、AIを使えるか使えないかの差が埋め難いものになることは確かである。私は起業家なので、そこのギャップを埋めるという部分に新しいビジネスの機会があると考えている。

　さて、インターネットが登場した頃もそうだったと思うが、人間には「このままでいたい」という心理があるため、新しい技術が出てきたときに「どうせ使えないでしょ」「自分の仕事が奪われるかもしれない」といった、マイナスな印象を抱いてしまいがちだ。例えば、産業革命が起きた当時のイギリスでは、機械を破壊する「ラッダイト運動」が起こった。

　その後世界がどうなったかはここで説明するまでもないが、技術革新は今後も止まらないし、この「おわりに」を書いている今も、AIの技術はものすごいスピードで進化している。重要なのは、技術革新が起きている今、まずはそこに飛び込んでみることではないだろうか。

　こういった技術は完成を待っていてはいつまでも使えないし、そもそも変化し続けるので〝完成する〟ということがない。だからこそ、まずは使ってみることが何よりも大切で、それをするかしないかが、埋めがたい差となってくるように思う。

　本書は私が著者ではあるが、大部分はChatGPTを使って書いた。また、私が書いた文章としてはっきりわかるようにしたのは、はじめにとこのおわりに、そして一部「コメント」として入れた補足のみである。

　果たして読者の皆様は「人間が書いた文章とAIが書いた文章は区別するべきである」と思われるだろうか。

　結論からいえば、私はこの議論自体に意味がないと考えている。もちろん、本書でも紹介した大学のレポートにChatGPTを使用することについての賛否があることは当然だと思うし、そもそもそういったシーンでの丸写しはNGだと思うが、本書のような社会一般に役立てることを目的に作られる文章の場合、人間が書いたものだろうが、ChatGPTが書いたものだろうが、読んだ人の役に立てばどちらでも構わないのではないだろうか。

　この本を読んでくれた皆様は、ChatGPTという新たな技術を受け入れて使おうという準備ができていることだろう。まずは恐る恐るでも使ってみて、できることやできないことを把握し、日々の仕事や生活に活かしていただきたいと思う。

　ここまでお読みいただき、ありがとうございました。

2023年5月
矢内東紀

矢内東紀（やうち・はるき）

1990年生まれ。慶應義塾大学経済学部卒業。経営者、著作家、投資家。23年5月にChatGPTを活用したブレインウェーブコンサルティング株式会社、プロンプトテックスターズ株式会社の2社を創業し、代表取締役社長に就任。また、客が日替わりで店長を務めるイベントバー「エデン」の創立者であり現・会長でもある。SNSでは「えらいてんちょう」通称「えらてん」の名前で親しまれており、総フォロワー数は15万人を超える。著書に『しょぼい起業で生きていく』（イースト・プレス）、『ビジネスで勝つネットゲリラ戦術詳説』（KKベストセラーズ）、『批判力』（小社）など多数。

ChatGPTの衝撃

<ruby>チャット<rt>チャット</rt></ruby>

ChatGPT の衝撃

AI が教える AI の使い方

2023年6月5日　初版第1刷発行
2023年6月8日　初版第2刷発行

著　者	矢内東紀
発行者	岩野裕一

発行所　　株式会社実業之日本社
　　　　　〒107-0062
　　　　　東京都港区南青山6-6-22　emergence 2
　　　　　電話（編集）03-6809-0473
　　　　　　　（販売）03-6809-0495
　　　　　https://www.j-n.co.jp/

印刷・製本　大日本印刷株式会社

装丁　　　　山之口正和（OKIKATA）
本文デザイン・DTP・校正　株式会社RUHIA
編集　　　　白戸翔（ニューコンテクスト）